だいわ文庫

一冊でまるごとわかる ギリシア神話

吉田敦彦

大和書房

はじめに

ギリシア神話を物語っている文学作品のなかで、私たちが読むことのできる最古のものは『**イリアス**』と『**オデュッセイア**』という叙事詩です。ともに紀元前九世紀後半の作品で、ホメロスという目の見えない詩人が書いたものだと伝えられています。ホメロスはまず『イリアス』、そして次に『オデュッセイア』を創作しました。

次に登場するのは、紀元前九世紀末から紀元前八世紀はじめにヘシオドスという詩人によって書かれた『神統記』と『仕事と日』という叙事詩です。

『神統記』には、ギリシア神話の基本的なあらすじが述べられています。それに対し、『仕事と日』に書かれているのは主に農夫に対する教えですが、そのなかにプロメテウスとパンドラの話など、重要な神話がいくつか出ています。

しかし、これらの叙事詩に記されている話は、ホメロスやヘシオドスによって創作されたものではありませんでした。

紀元前一五五〇年頃から紀元前一一〇〇年頃にかけてのギリシアには、ミュケネ文明と呼ばれる青銅器文明が栄えていましたが、ギリシア神話のもとになった物語は、この時代に生まれたものでした。それが代々口伝され、紀元前九世紀になってようやく文字を使って叙事詩の形で書きとめられることになったと考えられています。

ホメロスとヘシオドスが残した叙事詩は、ギリシア神話と呼ばれる文学作品として最も重要なものですが、それでもギリシア神話のすべてを語りつくしているわけではありません。

ギリシア神話をベースにした文学作品はこの後も数多く登場しますが、特に価値が高く、重要視されているのは、紀元前五世紀にアテネで作られた悲劇です。

なかでも三大悲劇詩人と呼ばれる**アイスキュロス**、**ソポクレス**、**エウリピデス**は、互いに競い合って独自の趣向と工夫を凝らし、ギリシア神話を傑作劇に仕上げました。彼らのおかげでギリシア神話の多くが、現在知られているような形で残されたのです。

ギリシア神話の存在が古代ローマ帝国に知られると、ローマ人は自分たちが崇《あが》めてきたユピテル、ユノ、ミネルワなどの神々を、ギリシア神話に出てくるゼウス、ヘラ、アテナなどの神々と同一視するようになりました。

それで、ギリシア文学に出てくる神話はそのまま、ローマで信仰されてきた神々のことを語っていると見なされるようになりました。そして、ローマで作られたラテン文学作品では、ギリシア神話の神々の名がラテン語で呼ばれ、物語そのものもラテン語で語られるようになったのです。

ギリシア神話をベースにして作品を書いたラテン文学の作者のなかでとりわけ有名なのは、紀元前一世紀から次の世紀にかけて活躍した詩人オウィディウスです。彼の作品で特筆すべきは全十五巻の神話詩**『変身物語』**で、ラテン語で語られたギリシア神話の宝庫といわれています。

欧米では長い間、この『変身物語』で語られている話こそが、標準的なギリシア神話であるように扱われてきました。

こうしてギリシア神話は欧米の人たちに「自分たちの神話」として愛されるようになり、今に至っています。欧米の文学や美術作品の中に、ギリシア神話に影響を受けたと思われるものが無数にあるのもこのためです。

つまり、長い時間をかけて、ギリシア神話は欧米人の血となり肉となったということであり、欧米の文化や欧米人の考え方を理解するためには、ギリシア神話を知ることが近道であると同時に必須というわけです。

私たちがギリシア神話を知ることには、もうひとつ大切な意味があります。それは、**科学の目とは違う目で、世界を見直すことができる**という点です。

現在の私たちは、科学と技術の発達によって、さまざまな恩恵を受けてきました。しかし、その快適な生活の代償として、自然を次々に破壊し、新たな危機に直面しています。また、科学が発達したからといって、すべてが満たされるわけではないことにも気づいています。

ギリシア神話には、科学だけでは絶対に説明できない自然現象や力があると描かれています。自然の神聖さを思い出し、それを敬う心を取り戻すためにも、多くの人にギリシア神話を知っていただきたいのです。

本書がそのようなギリシア神話の知識を得ていただくための、お役に立てることを願っています。

吉田 敦彦

一冊でまるごとわかるギリシア神話

目次

第2章 ゼウスの王権の確立

第3章 十二神の後に加わった神ディオニュソス

第4章 十二神の後に加わった神ヘラクレス

第5章 人間の始まりと英雄たちの種族

第6章 ペルセウスとカドモス

第7章 スピンクスの謎とオイディプス

第8章 トロヤ戦争

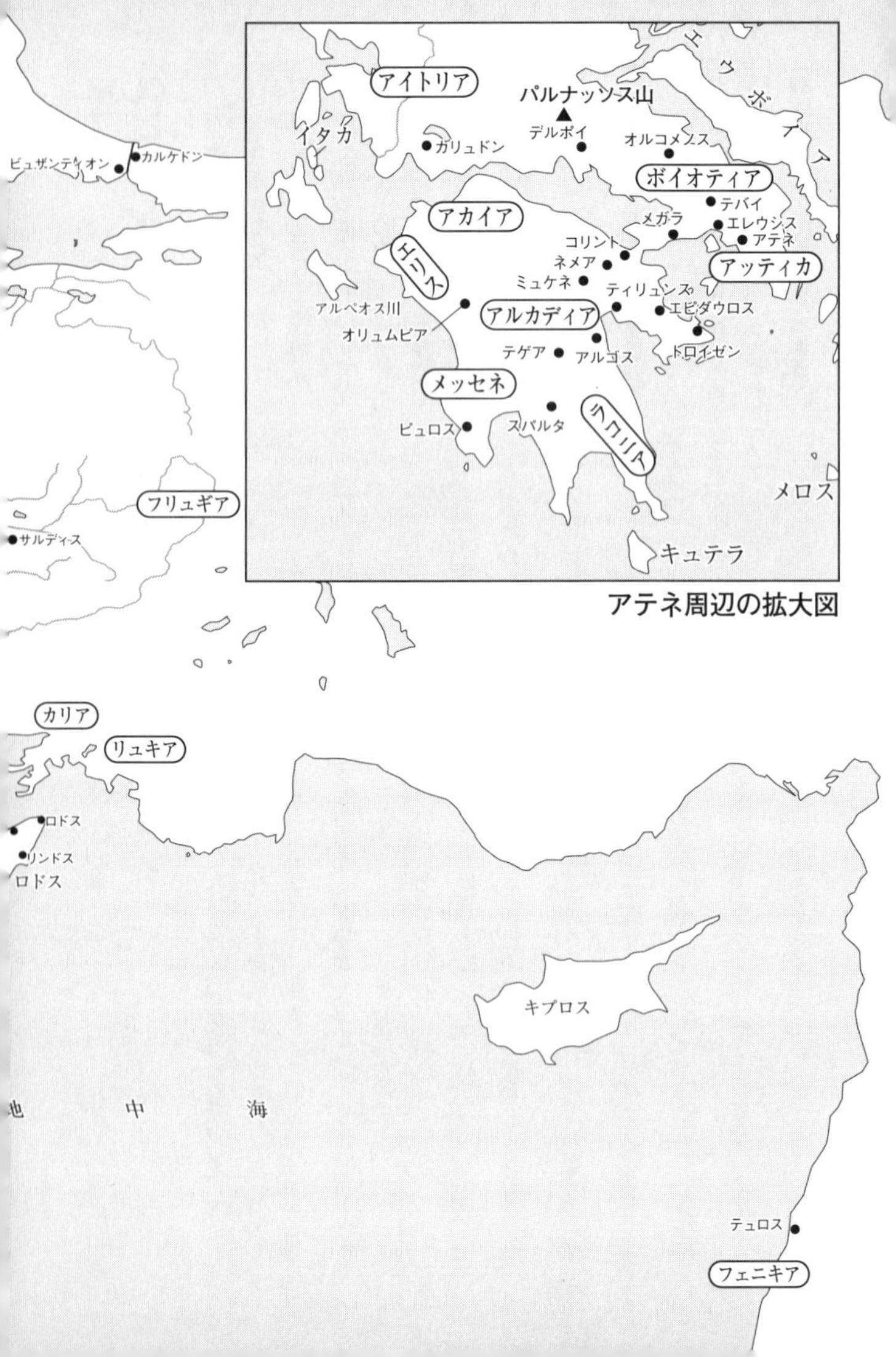

アイトリア
パルナッソス山
エウボイア
イタカ
カリュドン
デルポイ
オルコメノス
ビュザンティオン
カルケドン
ボイオティア
テバイ
アカイア
メガラ
エレウシス
アテネ
コリント
エリス
ネメア
アッティカ
ミュケネ
ティリュンス
アルペオス川
エピダウロス
アルカディア
オリュムピア
トロイゼン
テゲア
アルゴス
メッセネ
ピュロス
スパルタ
ラコニア
メロス
フリュギア
サルディス
キュテラ
アテネ周辺の拡大図
カリア
リュキア
ロドス
リンドス
ロドス
キプロス
地　中　海
テュロス
フェニキア

ギリシア神話の舞台

トラキア
マケドニア
タソス
サモトラケ
カルキディケ
ピエリア
オリュムポス山
コルキュラ
レムノス
トロヤ
イデ山
エペイロス
ドドナ
テッサリア
アケロオス川
ミュシア
ペルガモ
イオニア海
レスボス
エーゲ海
エウボイア
アイトリア
リュディア
パルナッソス山
シピュロス
イタカ
デルポイ
キオス
スミュル
ボイオティア
テバイ
アカイア
アテネ
アンドロス
サモス
エペソ
エリス
アッティカ
ミュケネ
イカリア
プリエ
アルカディア
ミレト
オリュムピア
デロス
パロス
メッセネ
ナクソス
ハリカルナッ
スパルタ
ラコニア
ピュロス
コス
クニドス
アモルゴス
メロス
ニシュロス
カメイロ
テラ
キュテラ
カルパト
クノッソス
イデ山
パイストス
ディクテ山
ハギア・トリアダ
クレタ

神々の系譜

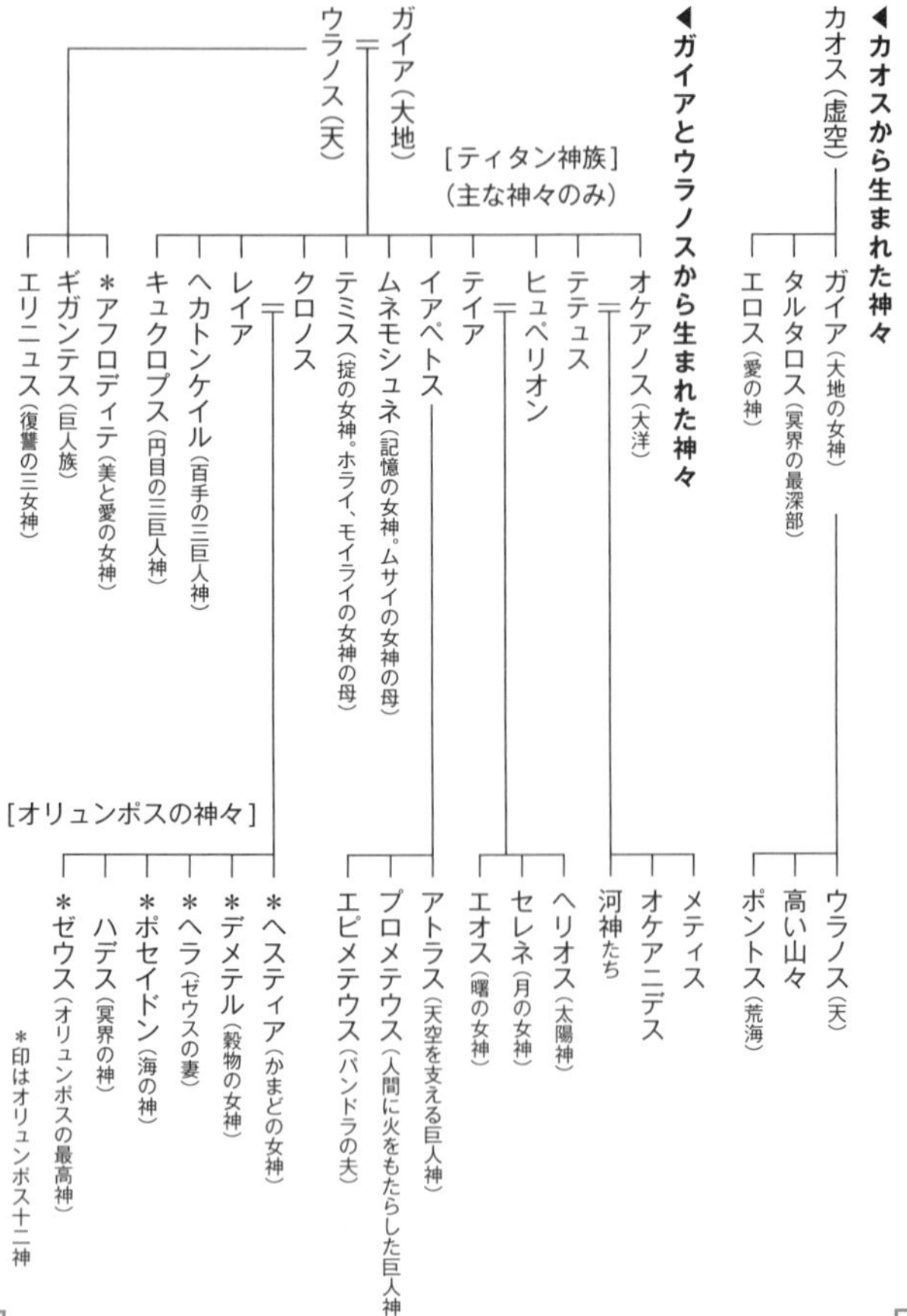
◀カオスから生まれた神々
カオス（虚空）
ガイア（大地の女神）
タルタロス（冥界の最深部）
エロス（愛の神）
ウラノス（天）
高い山々
ポントス（荒海）
◀ガイアとウラノスから生まれた神々
ガイア（大地）
ウラノス（天）
[ティタン神族]
（主な神々のみ）
オケアノス（大洋）
テテュス
ヒュペリオン
テイア
イアペトス
ムネモシュネ（記憶の女神。ムサイの女神の母）
テミス（掟の女神。ホライ、モイライの女神の母）
クロノス
レイア
ヘカトンケイル（百手の三巨人神）
キュクロプス（円目の三巨人神）
＊アフロディテ（美と愛の女神）
ギガンテス（巨人族）
エリニュス（復讐の三女神）
メティス
オケアニデス
河神たち
ヘリオス（太陽神）
セレネ（月の女神）
エオス（曙の女神）
アトラス（天空を支える巨人神）
プロメテウス（人間に火をもたらした巨人神）
エピメテウス（パンドラの夫）
[オリュンポスの神々]
＊ヘスティア（かまどの女神）
＊デメテル（穀物の女神）
＊ヘラ（ゼウスの妻）
＊ポセイドン（海の神）
ハデス（冥界の神）
＊ゼウス（オリュンポスの最高神）
＊印はオリュンポス十二神

ゼウスのラブロマンス

＊印はオリュンポス十二神

ゼウスが関係した女神・女たち	誕生した子ども
メティス（最初の妻、知恵の女神）	＊アテナ（知恵と戦いの女神）
＊ヘラ（妻）	＊ヘパイストス（技術の神） ＊アレス（戦争の神） へべ（青春の女神） エイレイテュイア（お産の女神）
エウロペ（テュロス王アゲルノの娘）	ミノス（クレタ王） ラダマンテュス サルペドン
セメレ（テバイの王カドモスの娘）	ディオニュソス（葡萄栽培と酒の神）
ダナエ（アルゴス王アクリシオスの娘）	ペルセウス（メドゥサ退治の英雄）
アンティオペ （テバイの摂政ニュクテウスの娘）	アムピオン（ニオベの夫） ゼトス
レダ（スパルタ王テュンダレオスの妻）	ヘレネ （ギリシア最高の美女。トロイア戦争の原因となる） クリュタイムネストラ（アガメムノンの妻） ポリュデウケス（拳闘の得意な英雄） カストル（乗馬の得意な英雄）
イオ（アルゴスの女神ヘラに使える女神官）	エパポス（エジプト王）
レト（ティタン神族のコイオスとポイベの娘）	＊アポロン（予言、弓の神） ＊アルテミス（狩猟の女神）
＊デメテル（穀物の女神）	ペルセポネ（冥界の支配者ハデスの王妃）
マイア（ティタン神族のアトラスの娘）	＊ヘルメス（神々の使者）
テミス（掟の女神）	ホライ（季節の三女神） モイライ（運命の三女神）
エウリュノメ（オケアノスの娘）	カリテス（美と優雅の三女神）
ムネモシュネ	ムサイ（学芸の九女神）
アルクメネ （ミュケネの王アムピトリュオンの娘）	ヘラクレス（ギリシア最大の英雄）

「オリュンポス十二神」概説

ゼウス
天空の支配者、神々の王。ティタン神族と戦い、覇権を手にしたオリュンポス族の筆頭。無敵の威力を持つ雷が武器。

ヘラ
女性の結婚・出産・家庭生活の守護神。ゼウスの正妻で嫉妬深い。

ポセイドン
海の神。エーゲ海の海底にある神殿に住み、先が3つに分かれた鉾を武器に持つ。

デメテル
農業の女神。大地を守り穀物の豊穣をつかさどる。ゼウスの愛人となり、「死者の国の女王」ペルセポネを生む。

ヘスティア
「かまど」の女神。家庭の炉を守る彼女は処女の女神でもある。

アテナ
知恵と戦いの女神。ゼウスの頭から黄金の武具に身を固めて誕生した。機織りが得意で技芸技能の女神でもある。

アポロン
光と予言の神。神託の主となり、ゼウスの意志を人間に伝える。弓矢と音楽の神でもある。

アルテミス
狩猟と純潔の女神。金の弓と竪琴を持つ。アポロンとは双子の姉。

アレス
戦争の神。無類の戦闘好きで、戦場で殺害と流血を起こすことを得意とする。

ヘパイストス
技術の神。どんなものでも自在に作ることができる。神々の女王ヘラが一人で産んだ神。しかし、足が不自由で醜男だった。

ヘルメス
商業と泥棒の神。牧畜を司る神。神々の使者。旅人の保護者であり、死者の魂の冥府への旅の案内もする。

アフロディテ
美と愛の女神。技術の神ヘパイストスと結婚し、戦争の男神アレスを愛人にする。

第1章
ゼウスとオリュンポスの神々

1 オリュンポスから世界を支配するゼウス

古代ギリシア人たちは神話に出てくる主な神々のことを、「オリュンポスに住む神たち」とか、「オリュンポスの神たち」などと呼んでいました。

オリュンポスというのはギリシアで最も高い山の名前で、約三千メートルあります。ギリシア人たちはそこに天上の世界があり、オリュンポスの神々が立派な御殿に住んでいると考えていました。

その御殿のなかでもとくに豪華だったのは、山頂の中央にある**ゼウス**が住む王宮でした。

ゼウスはティタン神族の王**クロノス**という神と、その妻の女神**レイア**の末息子でした。

クロノスは「レイアの産む自分の子に滅ぼされる運命にある」と予言されており、それが実現することを恐れ、レイアがそれまでに産んだ三人の女の子と二人の男の子を、生まれるとすぐに取り上げ丸呑《まるの》みにしていました。

そこで、レイアはゼウスを身籠もったと知ると、この子だけは無事に育てたいと考え、どうすればよいかを母の**ガイア**（大地の女神）に相談しました。

ガイアはレイアに知恵を与え、彼女はそれに従って夜のうちにクレタ島へ行き、そこでゼウスを産んでガイアに預けました。そしてその後、赤ん坊の大きさの石を産着にくるみ、さも大切そうに抱いていました。

それを見たクロノスは、その石を生まれたばかりの自分の子どもだと思い込み、彼女から強引に奪い取って呑み込んでしまいました。

ガイアは赤ん坊のゼウスをクレタ島の岩屋に隠し、土地のニンフたちに育てさせました。ニンフとは木や山、泉などを住処《すみか》にしている美しい女性の精霊たちのことです。

ゼウスはアマルテイアという牝《めす》の山羊の乳と蜂蜜を与えられ大切に育てられていましたが、まだガイアは安心していませんでした。

そこで、クレテスという若者の精霊たちにゼウスを守るよう命じました。クレテスたちは槍《やり》で楯《たて》を叩《たた》きながらゼウスの周囲で休みなしに踊り続け、彼の泣き声が周囲に聞こえないよう務めたと言われています。

フランシスコ・デ・ゴヤ『わが子を食らうサトゥルヌス』
プラド美術館蔵（スペイン）

2 二人の兄神たちと嫉妬深いお妃

成長したゼウスは祖母ガイアの教えに従い、**メティス**という知恵の女神の助けを借りてクロノスを騙《だま》し、彼に吐き薬を飲ませました。

するとクロノスは、ゼウスの代わりに呑《の》み込んでいた石をまず吐き出しました。そしてその後から**ポセイドン**と**ハデス**というゼウスの兄神、**ヘラ**、**デメテル**、**ヘスティア**という姉神たちを次々に吐き出しました。

ゼウスは兄のポセイドンとハデスと協力し、自分に味方してくれる神々をオリュンポス山に集め、クロノスを王と崇《あが》め世界を支配していたティタンたちと闘いました。

ティタノマキア（ティタンたちとの戦い）と呼ばれているこの闘いは十年にもわたる長期戦となりましたが、ゼウス軍が最終的に勝利し、クロノスとティタンたちをタルタロスと呼ばれる地下の奥底にある暗黒の場所に閉じ込め、ゼウスはオリュンポスの神々の王となりました。

世界に君臨することになったゼウスは、ハデスを死者の国の王に、ポセイドンを海の王に任命しました。そして天空は自分で統治し、人間の住む地上は神々に分け与えて支配させることにしました。

天の支配者となったゼウスは、無敵の武器「雷」と、アイギスという山羊の皮でできた楯《たて》を持っており、それらを使って天気を自在に変化させることができました。

ところで、ゼウスの王宮には広大な広間がありました。彼はそこに神々を集めて宴会を開き、ご馳走《ちそう》や心をときめかす音楽や踊りなどを楽しみながら世界に起こることを決めていました。ちなみに、その宴会で供されるのは**アンブロシア**と**ネクタル**という特別な食べ物と飲み物で、その効果によって神々は不老不死なのだと信じられていました。

ゼウスはさまざまな女神を妻や愛人にして神々を産ませた後、姉神のヘラを妃《きさき》にし、オリュンポスの女王の座に据えました。しかし、その後もゼウスは女神や美しい人間の女たちを愛人にして子を産ませ続けました。

そのため、ヘラは常にゼウスの行動に監視の目を光らせ、彼が他の女神や人間の女を愛人にすると猛烈に嫉妬《しっと》しました。そして、その女たちや彼女たちが産む子どもにひどい迫害を加えました。

ヘラがこのように嫉妬深かったのは、彼女が結婚と妻の地位の守り神だったためです。そのため、ヘラ自身は貞操観念が強く、ゼウス以外の男性と交わりを持つことは決してありませんでした。

パオロ・ヴェロネーゼ『悪徳を雷で打つユピテル』
ルーヴル美術館蔵（フランス）

3 醜男で不具な技術の神ヘパイストス

ゼウスの宮殿で開かれる宴会に集まるオリュンポスの神々は、絶世の美男・美女たちばかりでした。

ところが、そのなかに一人だけ醜男《ぶおとこ》であるうえに足が不自由で満足に歩けない神がいました。それは、**ヘパイストス**という技術の神でした。

このヘパイストスは、ヘラがゼウスと夫婦の交わりを持たず自分一人だけの力で産んだ子でした。

ゼウスはヘラと結婚した後に、**アテナ**という素晴らしい女神を自分の頭の天辺から誕生させました。ヘラはそれを見て憤慨し、「ゼウスが自分の腹を借りずに子を作れるなら、自分も夫の種を受けずに立派な子を産めることを見せつけてやるわ」と、ヘパイストスを自分だけの力で産んだのでした。

ところが生まれた子は、醜いうえに足が曲がっていました。そこでヘラは、こんなみっともない子を産んでしまったことを他の神々に知られると物笑いの種にされると考え、ヘパイストスを下界に投げ落としてしまいました。

古代ギリシア人は、大地が円盤のような形をしており、その周囲をオケアノスと呼ばれる巨大な河の流れが取り巻いていると考えていました。

ヘパイストスは運よくこのオケアノスに墜落し、**テティス**と**エウリュノメ**という二人の美しい水の女神に助けられました。そして彼女たちは、ヘパイストスを九年間にわたり海の底の洞窟《どうくつ》のなかで養育しました。

ヘパイストスはその間に、どんなものでも作り出すことのできる不思議な技術力を身につけました。そして、ヘラが自分にした無慈悲な仕打ちに復讐《ふくしゅう》をしようとして、坐《すわ》ると目に見えない鎖にがんじがらめに縛られて身動きができなくなる黄金の玉座を作り、ヘラへ贈りました。

その玉座は神々の女王が坐るのに相応《ふさわ》しいものに見えたため、ヘラは喜んで腰かけまし

た。すると、まったく身動きができなくなってしまいました。

ヘラの悲鳴を聞きつけて駆けつけた神々は懸命にヘラを助けようとしましたが、誰一人として果たせませんでした。玉座に施されていた仕掛けは、ヘパイストスにしか解けないよう工夫されていたのです。

困り果てた神々は、ヘパイストスをオリュンポスへ招き、ヘラを自由にしてもらうことにしました。

こうしてヘパイストスは醜く不具であるにもかかわらず、技術の神としてオリュンポスに迎え入れられたのです。

4 美と愛の女神アフロディテの姦通

ヘラを玉座から解放したヘパイストスは、ゼウスから美と愛の女神**アフロディテ**を妻として与えられました。

アフロディテは男を夢中にさせる性的魅力の固まりのような女神でした。彼女が海に浮かぶ泡のなかから誕生し、神々の仲間入りをしてからというもの、男の神々は彼女に対し猛烈な恋心を燃やし続けていました。

そのアフロディテが、なんと醜男《ぶおとこ》で不具のヘパイストスの妻にされてしまったのですから、神々の全員が驚きました。

しかし、きわめつけの美女と不細工な夫という、いかにも不釣り合いな結婚は、当然うまくいきませんでした。アフロディテは醜い夫を毛嫌いして寄せつけようとせず、**アレス**という戦争の神を愛人にしました。

アレスは戦場で人間たちに殺し合いをさせることが大好きな野蛮で残忍な神でしたが、男性美に溢《あふ》れる美男子だったのです。アフロディテは夫が家を留守にするたびにアレスを寝室に引き入れ、密通を重ねました。

やがて太陽神ヘリオスが、見るに見かねてヘパイストスに事の次第を教えてやりました。ヘリオスは、世界で起こることを何でも見て知っている神でした。

憤慨したヘパイストスは得意の技術を使い、妻と間男《まおとこ》を懲《こ》らしめることにしました。彼はベッドに見えない無数の鎖を張りめぐらし、そこに寝る者が縛り上げられて身動きができなくなるようにしました。そして、遠くへ出かけるふりをして外出し、家の近くで様子をうかがっていました。

すると案の定、アレスがすぐにやって来てアフロディテを誘い、一緒にベッドに倒れ込みました。二人はたちまちヘパイストスが仕掛けた罠《わな》にはまり、身動きできなくなってしまいました。

その様子を見届けたヘパイストスは急いで寝室へ駆けつけ、大声をあげて神々を呼び集めました。そして、あられもない姿で抱き合ったまま動けなくなっている妻と間男の醜態をみんなに見せつけ鬱憤《うっぷん》を晴らしました。

その様子を見た光と神託の神**アポロン**は、**ヘルメス**という神に「君はこんな目にあっても、アフロディテと同衾《どうきん》したいと思うかい？」と尋ねました。

するとヘルメスは、「もし、そうできるのなら、自分はもっと恥ずかしい目にあってもかまわないさ」と答え、みんなを笑わせたそうです。

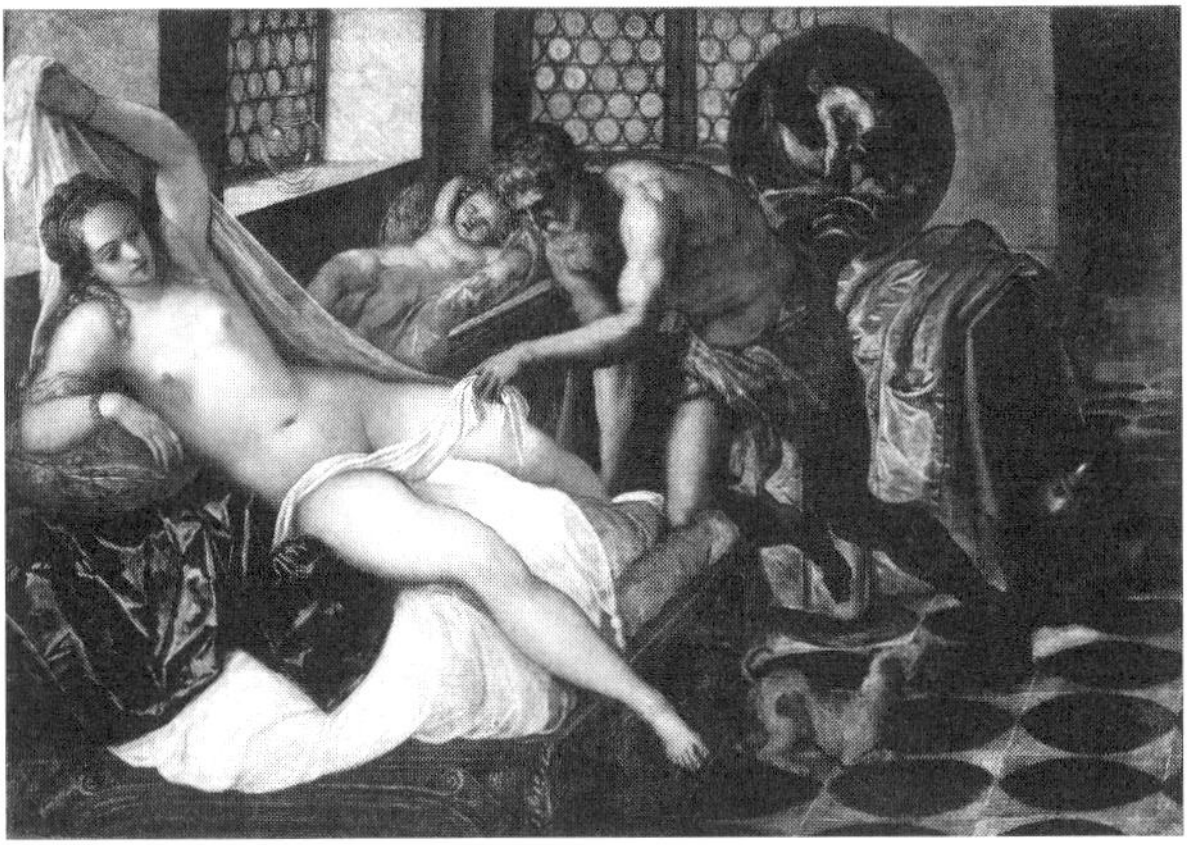

ヤーコポ・ティントレット『ウルカヌスに見つかったヴィーナスとマルス』
アルテ・ピナコテーク蔵（ドイツ）

5 盗みと嘘の神ヘルメスの誕生

ヘルメスが言ったことは、実は他の神々も内心思っていたことでした。ヘルメスは、みんなが口に出すのをはばかっていた本音を、しゃあしゃあと述べただけでした。

このことからもわかる通り、ヘルメスには神とは思えないような厚顔無恥《こうがんむち》なところがありました。そのため、他の神々が慎んで隠しておこうとしている真実を平気で明るみに出したり、澄ました顔であつかましい嘘《うそ》をついたりすることがよくありました。しかも、目から鼻へ抜ける才知の持ち主で、何よりも得意にしているのは「盗み」というおかしな神でした。

このような風変わりな神が生まれたのは、ゼウスが必要だと考えたためでした。ゼウスはその考えを実現するため、妻のヘラが寝入っている隙に、まるで泥棒のようにこっそりと寝室を抜け出し、ギリシア中央部のアルカディア地方にあるキュレネという山奥の岩屋へ行きました。そして、そこに住んでいた**マイア**という女神と密通して妊娠させました。

それから十か月後、マイアはお産をしました。このときに生まれたのがヘルメスでした。彼はゼウスの望んだ通りの子どもで、目から鼻へ抜ける知恵を持ちながら、盗み好きで大嘘つきでした。そしてそのことを生まれたその日に見せつけ、神々をびっくりさせ、ゼウスを大喜びさせたと言われています。

ヘルメスは生まれてすぐにゆりかごから抜け出し、岩屋の外に出ました。すると、亀がのそのそと這《は》いまわっていました。彼はその亀を捕らえると岩屋へ戻り、甲らから肉をえぐり出し、その後に羊の腸を七本張って七絃《しちげん》の竪琴《たてごと》を上手に作りあげました。

楽器が完成すると、彼はさっそくそれを使って美しい音楽を奏でました。そしてその伴奏に合わせ、どのようにしてマイアがゼウスに愛され、自分という世にも利発な子を産むことになったかを即興で歌いあげたのです。

歌っているあいだも彼は鋭敏な頭脳を働かせ続け、自分がこれからしようとしている盗みの手はずを考えていました。そして、歌い終わると竪琴をゆりかごのなかに隠し、また岩屋から抜け出しました。そして、そこからはるか北にあるオリュンポス山の麓のピエリアというところまで行きました。

6 生まれたばかりの赤児が見せつけた泥棒の資質

ピエリアにヘルメスが着いたときは真夜中で、泥棒をするのに都合のよい時間でした。ピエリアには広い牛舎と牧場があり、ヘルメスの異母兄アポロンがたくさんの牛を飼っていました。そのなかからヘルメスは五十頭もの牝牛《めうし》を盗んだのです。

このときも、ヘルメスは持ち前の悪知恵をいかんなく発揮しました。盗んだ牛を後ろ向きに歩かせて牧場から連れ出したのです。こうすることで、あたかも牛が牧場に入ってきた足跡しかないように見せかけたのです。

そのうえ、彼は自分の足跡が誰のものかわからなくするため、木の枝を編んで奇妙な形の大きなはき物を履いて歩きました。こうして盗んだ牛を、彼はピュロスというところまで連れて行きました。そして二頭だけ殺してオリュンポスの神々への供物《くもつ》にし、残りの牛をそこにあった牛舎のなかに隠しました。

このとき殺した牛を料理するため、ヘルメスには**火**が必要でした。そこで彼は、また絶妙な機転を働かせました。月桂樹《げっけいじゅ》の枝を板の上でキリのように速く回転させて火を起こしたのです。木を擦り合わせて火を生じさせるやり方は、このときヘルメスによって発明されたものだと言われています。

これだけの大仕事をしたにもかかわらず、ヘルメスは夜明け前にはキュレネ山に戻っていました。そして、岩屋にこっそり忍びこみ、ゆりかごに潜《もぐ》り込んで何食わぬ顔ですやすやと眠っているふりをしていました。

しばらくすると、アポロンがかんかんに怒ってやって来ました。

朝になり、自分の牛が減っているのに気づいたアポロンは大いに驚きました。だがアポロンはどんな隠れた真実でも見通してしまう予言の神でもあるため、牛泥棒をしたのが生まれたばかりの自分の異母弟の神であることをすぐに見破ったのです。

アポロンは、激しい剣幕《けんまく》で牛を返すよう求めました。するとヘルメスは、絶対に騙すこ

とのできないアポロンに平気でこう嘘《うそ》をついたのです。

「私は見た通り生まれたての赤ん坊で、産湯《うぶゆ》に入れられ、産着《うぶぎ》にくるまれ母の乳房を吸って眠っていただけです。屈強な大人にしかできない牛泥棒などするはずがありません。私の足はまだ柔らかで、地面を踏むことすらできないのですから」

アポロンはしゃあしゃあと嘘をつくヘルメスをゆりかごから掴《つか》み出し、「牛を隠しているところへすぐに案内しないと、地獄のタルタロスに投げ込むぞ！」と言って脅《おど》しました。

するとヘルメスは、「盗んでいない牛をどうしても返せとおっしゃるのでしたら、父のゼウスに事の裁きをつけていただきましょう」と言い出しました。

そして、今しがた「自分の足は柔らかで、地面を踏むこともできない」と言ったにもかかわらず、すたすたとオリュンポス山を目指して歩き出したのです。

7 ゼウスを大満足させたヘルメスの天才ぶり

アポロンはあっけにとられながらヘルメスの後について行きました。

オリュンポスでは、ちょうど神々の集まりが開かれているところでした。ヘルメスを一目見たゼウスは、すぐに彼がマイアの産んだ自分の子だということを覚りました。

そして、いかにもずる賢そうな表情を見て、自分が望んだ通りの才能と性質の子ができたことに大満足しました。そして、神々にこう言ったのです。

「皆の者、アポロンが捕らえてきたあの獲物を見るがよい。まだ生まれたばかりの赤ん坊だが、今日から私たちの仲間となり、大切な**使者の役目**をする神だ」

ゼウスの前でもヘルメスは「自分は真実だけを語る者で、嘘《うそ》のつき方など知りません」と、まっ赤な嘘をつきました。そして騙《だま》せるはずなどないゼウスに「自分は牛泥棒などした覚えはありません」と言い続けました。

その嘘が上手なことに、ゼウスはますます満足しました。そして、しまいには笑い出し、ヘルメスに「お前が利口なことはよくわかったから、もういい加減にアポロンを牛のいる場所に連れて行ってやりなさい」と、命じたのです。

ヘルメスは父の命令に従ってアポロンをピュロスへ連れて行き、牛を牛舎から出して渡しました。

ヘルメスが赤児のくせに牛を二頭も殺して料理したのを知ってアポロンは驚き、「お前は本当に末恐ろしい奴だな」と呆《あき》れた様子で言いました。

自分に対してまだ立腹しているアポロンの機嫌をとるため、ヘルメスは例の竪琴《たてごと》で曲を奏で、それに合わせて即興の詩を作り歌って聞かせました。

するとアポロンはたいそう感心し、その竪琴を欲しがりました。ヘルメスはそれをアポロンに贈り、その代わりに、先ほど返したばかりの牛の群れと牛追いの鞭《むち》をアポロンからもらいました。

こうしてヘルメスは、音楽のことはアポロンにまかせ、自分は牧畜を司《つかさど》る神になりました。

8 すべての神々を楽しませた愉快な子、パン

アポロンはヘルメスからもらった竪琴《たてごと》にとても満足しました。しかし、ヘルメスがいつかまた盗みの才能を発揮して、いま譲り受けたばかりの竪琴だけではなく、アポロンが大切にしている宝の弓矢まで盗むのではないかと心配でなりませんでした。

ヘルメスにはそのようなつもりがなかったので、地下の死者の国に湧いている**ステュクス**という泉の水に、「これから先、私がアポロンのものを盗むことは、決してありません」という誓いを立てました。

この誓いは、さすがのヘルメスでも絶対に破れない強固なものだったため、アポロンはたいそう喜びました。そして、お礼に黄金でできた魔法の杖を与え、「これからはヘルメスを無二の親友として愛する」と約束しました。

このときからヘルメスはアポロンと特別の仲になりました。アポロンから贈られた魔法の杖は、ヘルメスがいつも持っているケリュケイオンと呼ばれる伝令役のしるしの杖になりました。この杖には生きた蛇が二匹巻きついていて、あらゆる者を眠らせ

てしまう力があります。そのため、盗みを働くときにもとても役に立ちました。

こうして神々の伝令役としてオリュンポスの神々の仲間入りをしたヘルメスは、生まれたばかりで長い旅をしたうえ、アポロンとお互いの利益になる上手な交換をしたことで、旅人の保護者で商売の神にもなりました。

死後、人間の魂は地下にある死者の国まで長い旅をしなければなりませんが、その旅の道案内をするのもヘルメスの大切な役目の一つとなりました。

ところで、ヘルメスには**パン**という息子がいました。ヘルメスの生まれ故郷キュレネ山の近くにある土地のドリュオプスという王の娘を愛人にして産ませたのが、この子でした。

ところが、この子には生まれつき山羊の角と足があり、長いあごひげを生やしていました。そのため、母親は生まれたばかりの我が子の姿を見て飛び上がり、悲鳴をあげて逃げてしまいました。

しかし、ヘルメスはこの愉快な息子の誕生を喜び、抱き上げて兎《うさぎ》の毛皮に大切にくるんでオリュンポスへ行き、ゼウスをはじめとするすべての神々に「私の息子です」と言ってみせました。

神々はみなその子の姿をおかしがり、大笑いして喜びました。こうしてすべての神たちを喜ばせたことから、この子はギリシア語で「すべて」を意味するパンという名で呼ばれるようになり、地上の自然界でニンフたちと一緒に暮らすことになりました。ちなみにパンには、人間たちのあいだに「**パニコン**（恐慌）」と呼ばれる得体の知れない恐れ（パニック）を引き起こす力があると信じられています。

9 アポロンとアルテミスを産んだ愛人レト

光と神託の神アポロンは**レト**という女神から生まれたゼウスの息子です。ゼウスは自分の従姉妹のレトを愛人にし、アポロンとアルテミスという偉大な神になる双子を妊娠させました。

ところが、レトがこの双子を産もうとしたとき、すでにゼウスはヘラと結婚していました。

ヘラはのちに偉い神になるゼウスの子が、妃《きさき》の自分からでなく、他の女神から生まれようとしていることを猛烈に嫉妬《しっと》しました。そして、レトの出産を邪魔しようとして、世界中の土地に「レトの出産場所になることを禁止する」と命じたのです。

そのため臨月を迎えたレトは、どこでも子どもを産むことができませんでした。困り果てた彼女は、**オルテュギア**という海に浮かんでいる岩のことを思い出しました。この岩はアステリアというレトの妹が姿を変えたものでした。

かつてアステリアはゼウスに求愛されていました。しかし、彼女はそれを拒否し、ウズラに変身して海に飛び込んで逃げようとしました。怒ったゼウスはそのウズラを岩に変え、オルテュギア（ウズラ岩）と呼ばれるその岩が、海を定めなく漂うようにしたのです。

オルテュギアは固定した土地ではなかったため、「レトの出産場所になってはならない」というヘラの命令を受けていませんでした。

しかもヘラは、ゼウスの愛人になることを拒否してひどい目にあわされているこのオルテュギアには深い同情と恩を感じていました。そのためレトは、オルテュギアを出産場所に選んでも、この岩がヘラから罰を受ける恐れはないと考えたのです。

レトは、その岩に声をかけました。

「どうか、あなたの上でお産をさせてください。そうさせてくれれば、今は海上を定めなく漂っているあなたを、ギリシア人の住む世界のちょうどまん中に固定してあげます。アポロンが誕生した聖地となるあなたの上には立派な神殿が建てられ、世界中から大勢の参詣人《さんけいにん》が来るようになるでしょう。そして、彼らが持ってくるお供物《くもつ》のおかげで、今は何の作物も生えぬ貧弱な岩島のあなたは、誰もが羨《うらや》まずにいられないほど富裕な島になるでしょう」

オルテュギアは喜んで姉の頼みを引き受けました。

この岩島にはキュントスの丘と呼ばれる小高い場所があり、そこに一本だけシュロの木が生えていました。レトはその木に取りすがり懸命にお産をしようとしました。ところが、九日九夜のあいだ陣痛が続いても、子どもは生まれませんでした。

レオカレス『ヴェルサイユのアルテミス』
ルーヴル美術館蔵（フランス）

10 神託を告げる光明の神の出現

レトがお産をしようとしても、子どもが生まれなかったのにはわけがありました。それは、ヘラが執念深く出産の妨害を続けていたためでした。お産の女神**エイレイテュイア**はヘラの娘の一人で、ヘラは彼女を自分の館に引き止め、レトがお産をしている場所に行かせなかったのです。

しかし、最終的にはレトのことを心配して集まってきた女神たちが見るに見かね、**イリス**という虹の女神をオリュンポスに派遣しました。

イリスはヘラの目を盗んでエイレイテュイアに会い、「レトにお産をさせてくれれば、みごとな黄金の首飾りを贈りましょう」という女神たちの約束を伝えました。

イリスはエイレイテュイアをヘラの館から連れ出すことに成功し、レトがお産をしている場所に連れて行きました。

おかげでレトは、アルテミスとアポロンを産むことができました。このときアルテミスは、自分が生まれるとすぐに、アポロンが生まれてくるのを助けたそうです。そのためアルテミスは、お産の守護女神としても崇《あが》められることになりました。

アポロンは、体だけではなく着衣や持ち物からも目映《まばゆ》い黄金の光を放つ光明の神です。彼が誕生すると、それまでみすぼらしい岩塊だったオルテュギアは、たちまち黄金に包まれました。

そして、アポロンは母がした約束通り、オルテュギアを古代ギリシア人たちが住む世界のちょうどまん中にあたるエーゲ海の中央に固定し、その島に光明の神が誕生した聖地に相応しい「**デロス**（明るい）」という名をつけました。

デロス島の周囲にある多くの島々は、キュクラデス諸島と呼ばれています。キュクラデスは「取り巻く島々」という意味で、デロス島をまるで王を守る家来たちのように取り巻いているため、こう呼ばれることになったのです。

アポロンの大切な役目は、ゼウスの意志を人間に伝えることでした。そのため、ゼウスはアポロンが誕生すると、すぐに白鳥たちの引く車を与えました。そして、それに乗ってデルポイへ行き、神託所の主になるよう命じました。

デルポイというのはパルナッソス山の南麓にある清らかな場所で、ギリシア人たちはここが大地ガイアのへそにあたり、世界の中心だと信じていました。

ここで「**デルポイの神託**」と呼ばれる霊験あらたかな託宣《たくせん》を述べ、あらゆる真実を人間に告げることが、アポロンがこれから果たさなければならない何よりも大切な任務となりました。

レオカレス『ベルヴェデーレのアポロン』
ヴァティカン美術館蔵（ヴァチカン）

11 ゼウスの意志を人間に伝えるアポロン

ところがアポロンは、ゼウスから受けた「デルポイへ行き、神託所の主になれ」という命令にすぐには従いませんでした。ゼウスから贈られた白鳥の引く車に乗ると、彼はまず北の果てにある**ヒュペルボレオイ**人の国へ飛んでいったのです。

ヒュペルボレオイとは、「北風の向こう側に住む人たち」という意味です。ギリシア人たちは、北の果てには北風の影響をまったく受けない楽園があり、そこには神々に愛され、特別幸福な暮らしをしている人々が住んでいると考えていました。そこはいつもほどよい太陽に照らされて明るく温暖で夜も冬もなく、住民は老いることがなく、好きなだけ長生きできると信じられていました。

そこへ飛んでいったアポロンは、ヒュペルボレオイ人たちとの暮らしを楽しみ、ちょうど一年後にまた白鳥の引く車に乗り、ようやくデルポイに向かいました。

デルポイにはアポロンが来る前から神託所がありましたが、それは大地の女神ガイアのものでした。つまり、人間はそれまで未来のことをガイアから知らされていたのです。

ガイアは、神託所を自分の息子の恐ろしい竜に守らせていました。アポロンはピュトンと呼ばれるこの竜を退治し、神託所を自分のものにしました。その結果、人間はガイアの意志ではなく、ゼウスの意志を告げる神託によって未来についての真実を知らされるようになったのです。

それは、世界のためにはどうしても起こらなければならなかった変化でした。ゼウスが神々の王になる以前から、世界はゼウスの父クロノスやその父親だった天空のウラノスなど、男の神によって支配されていることになっていました。しかし、実際にはガイアの思い通りになっていました。つまり、未来のことはガイアの意志によって決められていたのです。

しかし、ゼウスがクロノスに代わって神々

の王になって世界を支配するようになったことで事態が一変しました。未来のことはゼウスによって決められることになったのです。そして、このゼウスの意志を人間たちに伝えることがアポロンの役目でした。

ところがアポロンは、なぜかその神託をはっきりした言葉で伝えようとしませんでした。

ウージェーヌ・ドラクロワ『大蛇ピュトンに打ち勝つアポロン』
ルーヴル美術館蔵（フランス）

12 わかりにくい言葉で述べられた神託

アポロンの神託は、**ピュティア**と呼ばれる巫女《みこ》（神にお仕えする女性）の口から発せられました。

彼女は神殿の奥にある三本脚で支えられた鍋のようなもののなかに入り、地底から噴き出してくるガスを吸い、神がかりになって神託を述べました。しかし、その神託ははっきりした言葉で述べられた、わかりやすいものではありませんでした。

「神託所をデルポイに持つ神は、述べも隠しもせずにほのめかす」

哲学者のヘラクレイトスは、こう言ったと伝えられています。また、アイスキュロス作の『**アガメムノン**』劇中では「デルポイの神託はギリシア語で言われているのに、わかりにくい」と言われています。

つまり、アポロンの神託は真実を告げているのに、光の神に相応しい明快な言葉ではなく、曖昧な言葉で述べられることが多かったのです。

おかげで、神託を受けた人たちのなかには意味を取り違え、誤った行動をしてとんでもない災難にあい、身を亡ぼしてしまう人もいました。そのため、アポロンには「ひねくれ者」を意味する「**ロクシアス**」というあだ名が付けられ、恐れられていました。

アポロンの「ひねくれ」の犠牲になった人物としてとくに有名なのは、リュディアの最後の王だったクロイソスです。リュディアは紀元前六世紀中頃に、現在のトルコの西部に栄えていた国でした。

クロイソスは自国の東に勃興《ぼっこう》してきたペルシア帝国に脅威を感じ、手遅れにならないうちに討伐《とうばつ》しようと考えていました。そしてその可否を、日ごろから信仰を寄せていたデルポイの神託に尋ねようとしたのです。

神託を受ける前に、彼はデルポイの神託が本当に信頼できるのか、次のようにして確かめました。

まず彼は、方々にある評判の高い神託所に使者を送りました。そして彼らが出発してからちょうど百日目に「いま、リュディア王クロイソスは何をしているか」と、それぞれの神託に尋ねさせたのです。

その日、彼は青銅の鍋に亀と小羊の肉を刻んで入れ、青銅の蓋をして煮ていました。すると、デルポイに派遣された使者の持ち帰ったアポロンの託宣《たくせん》には「わが心に届いた匂いは、固い甲羅の亀の肉が小羊と共に煮られている。下には青銅が敷かれ、上にも青銅がある」とありました。クロイソスがしていた突飛な行動を完璧に言い当てていたのです。

アポロンの神託に改めて絶対の信頼を持ったクロイソスは、ペルシアと戦うことの可否をアポロンに尋ねました。すると「そうすれば大帝国を亡ぼす」と告げられました。

クロイソスはアポロンがペルシアに対する勝利を約束してくれたと思い込み宣戦布告をしましたが、惨《みじ》めな敗北をしてペルシア王の捕虜にされてしまいました。

しかし、神託はクロイソスを騙《だま》したわけではありませんでした。戦争をした結果、彼は大帝国だった自分の国を亡ぼしてしまったからです。神託はそうなると警告していました。

神託をテストするような思い上がりのせいで、彼は神に言われたことの意味を勝手に取り違え、その警告に気がつかなかっただけなのです。

13 デルポイに掲げられた「汝自身を知れ」

デルポイにあったアポロン神殿の入り口には、「箴言《しんげん》」と呼ばれる短い戒《いまし》めの言葉が、参詣《さんけい》に訪れる人間たちへの警鐘のようにしていくつか掲げられていました。

なかでもとくに有名なのは、「**汝自身《なんじ》を知れ**（グノティ　サウトン）」という箴言です。この意味は、「**何ごとにも、度をすごすな**（メデン　アガン）」「**約束はやがて破滅になる**（エンギュア　パラ　ダテ）」という他の箴言と組み合わせて考えると、意味がよくわかるようになります。

「約束はやがて破滅になる」という箴言は、「人間には未来のことを知る力はないのだから、そのことをわきまえずに将来の約束をすれば、それを守れずに身を亡ぼすことになる」という戒めでした。また、「何ごとにも、度をすごすな」というのは「思い上がって自分の分際を逸脱してはならない」という戒めの言葉でした。

これらと合わせて考えると、「汝自身を知れ」という有名な箴言が、「お前たちはただの人間で、神ではないことを忘れてはならない」と、厳しく戒めたものだったことがわかるのです。

　ギリシア人は、彼らがコスモスと呼んでいる世界の秩序が、物と他の物とが混同されず、互いにはっきり区別されることで成り立っていると考えていました。アポロンはその秩序を守ることにどの神よりも厳格で、とりわけ人間が思い上がり、神との違いを忘れることを何よりも嫌うと考えられていました。

　アポロンの**弓矢**も、人間に神との隔たりの大きさを思い知らせる働きをしました。アポロンは、罰しようとする者に遠くから見えない矢を放ち、射られた者はたちまち死んでしまいました。また、アポロンが大勢の人間を罰しようとして、たくさんの矢を同時に射ると、そこに疾病《しっぺい》が発生するとも考えられていました。

　このように、どこから放たれているのかわからないほど遠くから不気味な災いの矢を放ち、死と疾病を起こすことで、アポロンは人間たちに、神々との距離がどれほど大きいかを思い知らせていたのです。

　未来について必ずその通りになる真実を告げる神託を、人間が意味を取り違えるようなわかりにくい言葉で述べたのも、人間たちに神託を正しく理解することができない知恵の限界を知らせようとしたためでした。

14

愛人に裏切られたアポロンと医術の神アスクレピオス

遠くから矢を放って死と疾病《しっぺい》を発生させるアポロンには、まったく正反対の力もありました。彼は、どんな病気でも治療できる医術の神でもあったのです。

とはいうものの、個々の人間の病気の世話は**アスクレピオス**という息子にまかせ、アポロンは人間たちが住む都市を、都市の病気ともいえる災いから救済する働きをしていました。

アスクレピオスの母親は、**コロニス**という絶世の美女でした。コロニスはテッサリアのラリッサ国の王プレギュアスの娘でした。彼女はアポロンに愛されてアスクレピオスを懐妊したにもかかわらず、イスキュスという人間の男とも情を通じていました。

コロニスの見張りを命じておいたカラスからそのことを知らされると、アポロンは激怒して矢を放ち、コロニスを殺してしまいました。

その後、愛人を殺してしまったことを悔やんだアポロンは、その怒りをコロニスの裏切りを告げ口したカラスに向け、それまで純白だったカラスの羽の色をまっ黒に変えてしまいました。

　それからすぐラリッサへ飛んでいき、火葬されようとしていたコロニスの遺体から出産直前だったアスクレピオスを取り出しました。そして、その子をテッサリアのペリオンという山奥にある岩屋へ運び、そこに住んでいた**ケイロン**というケンタウロスに育てさせました。

　ケンタウロスは人間の上半身の下に馬の体を持っている怪物で、乱暴で好色でした。しかしケイロンだけは例外でした。彼は老人の賢者で、しかも優れた教育者という評判の持ち主でした。さらに、ケンタウロスのなかで唯一、不死の神でもありました。

　ケイロンは一目見て、アスクレピオスが父から医神になる素質を受け継いでいることを悟り、彼に医術を教えました。成長したアスクレピオスは不世出の名医となり、死んだ人

間を生き返らせる技術すら持っていました。

ゼウスはそれを見て驚き、困惑しました。

「これは大変なことになった。死んだ人間が生き返るようなことを許せば、私が定めた世界の秩序が滅茶苦茶になってしまう。こんなことはすぐに止めさせなければならない」

そこでゼウスは、アスクレピオスに雷を落として殺してしまいました。

しかし、可愛い息子を惨殺され激昂《げっこう》しているアポロンをなだめるため、ゼウスはすぐにアスクレピオスを生き返らせて不死にし、神々の仲間入りをさせました。

おかげでアスクレピオスは医術の神として、父のアポロンの監督を受けながら人間を病気の苦しみから救う働きをいつまでも続けられることになりました。

15 男に抱かれるのを嫌がって月桂樹になったニンフ

ギリシア人は「アポロンは男性美の化身で、美青年の理想そのもの」と考えていました。そのため、もし女性がこの神に愛されるようなことがあれば、それは幸福の極みだとも考えていました。

ところが、アポロンに愛され神の子まで妊娠していたコロニスは、人間の男に身をまかせて神を怒らせ殺されてしまいました。このようにアポロンの恋愛は、なぜかほとんどすべてが悲しい結末を迎えています。なかでも有名なのは、アポロンが**ダプネ**というニンフ（自然界に宿る女性の精霊）に熱烈な求愛をしたときの物語です。

ダプネはテッサリアを流れるペネイオスという河の神の娘でした。潔癖な処女で男嫌いだったダプネは、求愛する男たちを一切寄せつけようとせず、青年のような恰好《かっこう》で野山を駆け回り、狩猟を楽しんで暮らしていました。

その凛々《りり》しい姿を見たアポロンは、彼女のとりこになりました。そして、優しい愛の言葉をかけながら夢中でダプネのことを追いかけました。

しかし、さすがのアポロンにも、男に抱かれることを嫌悪し、何がなんでも処女を守ろうとする乙女心を変えることはできませんでした。

ペネイオス河の岸辺でアポロンに追いつかれそうになったダプネは、河の神である父ペネイオスに「処女のままでいられるよう、自分を何か他のものに変えてください」と祈りました。

すると、四肢にしびれを感じたかと思うと、ダプネの体は固い樹皮で包まれ始めました。ふさふさと波打っていた金髪は緑の葉に変わり、両腕はすんなりした枝に、そして両足は地中に入りこんで根になりました。

アポロンは、ギリシア語でダプネと呼ばれるその**月桂樹**《げっけいじゅ》の木を抱きしめて愛撫《あいぶ》し、唇を何度も枝や幹に押しあてました。樹皮の下では、まだ乙女の心臓が怯《おび》えて鼓動しているのが感じられ、枝は神の接吻《せっぷん》を避けようとして身をよじらせているように揺れました。

アポロンはその月桂樹に向かって語りかけました。

「私の花嫁にはなれなくなったお前だが、せめて私の樹になっておくれ。そうすれば、お前の葉は私の髪が不死であるように枯れることなく、いつまでも常緑のままになる。

人間たちは勝利の栄冠として、お前の葉で頭を飾ることになるだろう」

すると月桂樹はアポロンに向かって梢《こずえ》を垂れ、承諾する意思を示しました。

こうして月桂樹は冬にも葉が落ちない常緑樹となり、その枝を編んで作られる月桂冠は、人間のあいだで最高の名誉のしるしの栄冠とされることになったのです。

16 悲しい結末で終わったヒュアキントスとの同性愛

アポロンの愛は女性だけではなく、少年にも向けられました。

古代ギリシアでは、大人の男と少年のあいだで結ばれる同性愛の関係は、信頼や同志的な絆《きずな》に通じるものと考えられており、女性への愛よりも高い価値を持つとされていました。ギリシア神話には同性愛の物語が数多くありますが、それはこうした考えから生まれたものです。

しかしアポロンの場合、少年たちとの恋愛もなぜかきまって悲しい結末を迎えました。なかでも有名なのが**ヒュアキントス**との物語です。

ヒュアキントスは、アポロンに恋する美少年でした。アポロンもヒュアキントスを寵愛《ちょうあい》し、彼が住んでいたスパルタの近くにあるアミュクライまで行き、一緒に狩猟や運動競技にふけることを何よりの楽しみにしていました。

しかし、西風の神**ゼピュロス**もこの美少年に思いを寄せており、アポロンと彼の仲睦《むつ》まじさを見て激しい嫉妬《しっと》を感じていました。

悲劇はアポロンとヒュアキントスが円盤投げを楽しんでいるときに起こりました。アポロンが投げた円盤をキャッチしようと少年が夢中で走っているときに、ゼピュロスが風を吹かせたのです。その風で向きが変わった円盤はヒュアキントスの額に命中し、彼は死んでしまいました。

愛する少年が自分の投げた円盤に当たって死んだのを見たアポロンは、「できることなら私も不死の神であることを止め、お前と一緒に地下の死者の国へ行きたい」と嘆《なげ》き悲しみました。そして「私の所為で生きて、私と一緒にいられなくなったお前は、花になっていつまでも私の愛を受け続けなさい」と言い、ヒュアキントスの額から流れた血からヒアシンスの花を咲かせました。これでおわかりの通り、ヒアシンスという花の名は、この悲劇に由来しているのです。

ギリシア語で**キュパリッソス**という糸杉も、

アポロンに愛された若者が悲しい目にあって姿を変えた木だと言われています。

ケオス島に住んでいた美少年のキュパリッソスは、彼になついていた一頭の牡鹿《おじか》を可愛がり自慢にしていました。

ところがある夏の日、キュパリッソスが槍《やり》を投げたところ、木陰に身を臥《ふ》せて涼んでいたこの鹿に刺さってしまったのです。

牡鹿は死に、キュパリッソスはアポロンの慰めも耳に入らず「いつまでも鹿の死を悼み続けられるようになりたい」とだけ祈り続けました。そして、ついに墓地に植えられて悲しみを表わす糸杉の木になってしまったのだとされています。

アポロンの恋愛に悲劇が多いのは、誰もが憧れるような美貌を持っていると同時に、とても怖い神でもあったため、彼に愛されるのは喜びであるよりも恐ろしいことだという考えが人々にあったためだと思われます。

17 死をもたらす矢を射る処女神アルテミス

アポロンの双子の姉アルテミスは男性と交わることのない潔癖な処女神で、何よりの楽しみは、自分と同様に処女であり続ける誓いをたてたニンフたちを引き連れ、山野で狩りをすることでした。そのため、アルテミスもアポロンと同じように弓矢を持っていました。

アルテミスは狩猟の女神であると同時に、獲物になる野獣たちの保護者でもあると考えられていました。彼女の矢も人間に向けて放たれるとアポロンの矢と同様、目に見えない死をもたらすため、人間に恐れられていました。

しかし、アルテミスが死の矢を放つのは女たちに対してだけで、たとえばお産の最中に女性が死ぬと、アルテミスの矢に射られたのだと信じられていました。

アポロンとアルテミスが放った矢の犠牲者としてとりわけ有名なのは**ニオベ**です。テバイの王アンピオンの妃《きさき》だったニオベは多くの子宝に恵まれ、そのことをとても自慢にしていました。そのため、あるとき、

「レトは子福者だと言われているが、アポロンとアルテミスと男女一人ずつの子を産んだだけではありませんか。あの女神より自分のほうが子だくさんですから、ずっと恵まれているということです」

と失言してしまいました。

この言葉を聞きとがめたレトは、アポロンとアルテミスに「ニオベの思い上がりを罰しなさい」と命じました。そこで、アポロンは山で狩りをしていたニオベの息子たちを全員射殺し、アルテミスは王宮にいた娘たちを矢でみな殺しにしました。

ニオベは悲しみのあまり石に変わり、その石からは子どもたちの死を悲しんで流す涙が泉になって湧き出たと言われています。

また、**アクタイオン**が受けた罰の話は、潔癖な処女神アルテミスの逆鱗《げきりん》に触れることの恐ろしさを伝えています。

名高い狩人だったアクタイオンは、あるとき森の奥で、泉の湧いている洞窟を見つけました。彼は狩りの疲れを癒そうとして、その泉に入ろうとしました。

ところがちょうどそのとき、その泉ではアルテミスが水浴をしていたのです。一糸まとわずにいる姿を、乱入してきた不埒《ふらち》な人間の男に見られた女神は、激しい怒りと羞恥《しゅうち》に身を震わせ、「この無礼者！」と叫んでアクタイオンに泉の水をかけ、彼を鹿に変えました。そして、アクタイオンが連れていた五十頭の猟犬をけしかけ、その鹿を八つ裂きにしてしまったのです。

もちろん、アルテミスはただ恐ろしいだけの女神ではありません。お産の最中に女を殺す一方、お産を助ける産婦の守護女神でもあります。また、人間と動物の子を保護して成長させるのも、アルテミスの大切な役目の一つだと考えられています。

18 ゼウスに呑み込まれた知恵の化身メティス

　父のクロノスに代わり、神々の王になり世界を支配することになったゼウスが最初に結婚をした相手は、知恵の女神**メティス**でした。この女神の助けを借り、ゼウスがクロノスに吐き薬を飲ませ、呑《の》み込んでいたゼウスの兄姉たちを吐き出させることに成功したことは前にお話しした通りです。

　ところがメティスが妊娠すると、ゼウスは彼女のことを呑み込んでしまいました。それは、「メティスが最初に産む子は、知恵も勇気も彼に匹敵する素晴らしい女神だが、その次には男の子が生まれ、お前はその子に神々の王の地位を奪われる」と、祖母のガイアから教えられていたためでした。

　メティスは何にでも姿を変えられる力を持っており、普段からそのことを自慢していました。そこでゼウスは「本当に何にでもなれるのか」と尋ね、「それならあれになってみせろ」「これになってみせろ」と言い、いろいろなものに変身させて感心したふりをしてみせました。そしてしまいに、「お前でもまさか、一滴の水にはなれないだろう」と言い、メティスを挑発しました。

メティスが「そんなことは造作もありませんわ」と言って水滴になってみせると、ゼウスはすかさずその水滴を飲んでしまいました。

メティスはどんな不測の事態にも対処できる臨機応変の知恵の化身の女神でした。この出来事により、ゼウスはその女神すら騙《だま》すことのできる最高の知者（メティオエイス）だということを世界に知らしめたのです。

しかも、ゼウスに呑み込まれたメティスは、その後も彼の腹のなかで生き続け、してもよいことと悪いことをゼウスに助言してくれるようになりました。つまり、ゼウスは知恵の源泉を自分の内に持ったということです。

つまり、呑み込んでしまったといっても、ゼウスがメティスにしたことは、彼の父クロノスが、ガイアから生まれた自分の子どもた

ちを呑み込んだのとは、まったく違うことでした。

ゼウスの兄姉たちは、それぞれが世界のために大切な役割を果たすことのできる力を持った偉大な神たちでした。彼らが生まれるとすぐに片端から呑み込んでしまうことで、クロノスは彼らが神として活動することを妨げていました。

しかし、ゼウスに呑み込まれたメティスは、世界の支配者の腹のなかという知恵の女神にとってはこの上なく相応しいと思える居場所を得たのです。

そしてそこで、以後は自身と不可分になった最高神に適切な出処進退を助言することで、知恵の女神としての職分を果たし続けることになったのです。

19 英雄たちを助ける戦いの女神アテナ

メティスが妊娠していた子は、ゼウスに呑み込まれた後も母の胎内で順調に成長を続けました。この子が生まれるときになると、ゼウスは激しい頭痛を感じ、自分の頭を斧で割らせました。

すると、そこから黄金の鎧《よろい》と兜《かぶと》を着け槍《やり》と楯《たて》を持った、見るからに勇壮な女神が天地を震撼《しんかん》させる叫び声をあげながら飛び出してきました。これがゼウスの愛娘《まなむすめ》で戦争の女神**アテナ**です。

戦争の女神と言っても、この女神の戦争との関わり方は、これも戦争の神であるアレスとはまるで違っていました。

戦争というのは、そこで戦っている者同士が残忍な殺し合いをする場所です。野蛮な戦争の神アレスは、人間たちを血みどろな死闘に駆り立てることを何よりの楽しみにしていました。しかし、戦場は戦士たちが武勇を発揮し、目覚ましい手柄をあげる場所でもあります。アテナは戦争の文明の面を司《つかさど》り、戦士たちの活躍を助けてくれる女神だと信じられていました。

　神話のなかでも多くの英雄がこの女神に助けられ、数々の手柄をあげたことが語られています。たとえば、**ペルセウス**がゴルゴンのメドゥサの頭を取って退治するのを助け、この英雄から供えられたその恐ろしい怪物の頭を楯の飾りにしたことや、ヘラの迫害にあった**ヘラクレス**の冒険を助け続け、最後にこの英雄が神々の仲間入りをしたときに昇天する馬車の御者《ぎょしゃ》の役をしてやったことなどが、とくに有名です。

　また、古代ギリシア文化の中心だったアテネの名は、このアテナにちなんでつけられたものでした。神々が地上の土地を分け合ったとき、アテナとポセイドンは、どちらも現在のアテネのあるアッティカ地方を自分の領地にしたいと主張して譲りませんでした。

両神は、現在もアテネの中央にそびえるアクロポリスの丘の上で、どちらがアッティカの住民たちによりよい贈り物ができるかを競い、これに勝利した者がこの地を手に入れることになりました。

まずポセイドンが海の支配者の力を発揮し、三《み》つ叉《また》の戟《ほこ》で地面を打って塩水の泉を湧き出させました。これに対し、アテナは槍で地面を突き、世界で最初のオリーブの木を生え出させました。

審判役だった他の神々は、オリーブの木のほうが塩水よりも人間の生活にずっと役立つという判定を下し、アテナがアッティカを支配する神になることが決まったのです。

グスタフ・クリムト『パラス・アテネ』
ウィーン市立博物館（オーストリア）

20 機織りの女神に技比べを挑んだアラクネの顛末

アテナは母メティスの資質も受け継いでおり、優れた知恵の女神でもありました。誰よりも賢い最高神ゼウスの頭から生まれたというのも、知恵の女神に相応しい誕生のしかたでした。

優れた知恵によってさまざまな発明を行い、職人たちを守護するのも、技術と文明の女神であるアテナの大切な役目でした。なかでも、古代ギリシアで女たちの主な仕事だった機織《はたお》りは、アテナが最も気にかけていた分野でした。それをよく表わしているのが、アラクネの物語です。

蜘蛛《くも》はギリシア語で**アラクネ**といいますが、それは自らの機織りの腕前を自慢しすぎてアテナを怒らせてしまった少女の名前に由来しています。

アラクネは現在のトルコの西海岸にあったコロポンという町に住んでいました。機織りが大好きだった彼女は、美しい布を織ったり刺しゅうをすることにいつも熱中していました。

その仕事ぶりは本当に鮮やかで、人間業と思えないほどでした。そのため人々が「アラクネは機織りをアテナ女神から教わったのではないか」と噂したほどでした。

ところが、この噂を耳にしたアラクネは怒り「機織りをアテナから教わったなんて侮辱だわ。だって、私はアテナと機織りの技比べをしても絶対に負けないもの」と言ってしまったのです。

アテナはこのアラクネの思い上がりを見過ごせませんでした。そこで、老女の姿に化けてアラクネのところへ行き「不埒《ふらち》な発言をすぐに取り消し、アテナ様に許しを乞いなさい」と言い聞かせようとしました。

ところがアラクネはこの説得を聞かないばかりか、老女を罵《のの》り「技比べをしてあげるから、今すぐここにアテナを連れてきなさいよ！」と言い放ったのです。

すると、目の前の老女がたちまち女神に変身しました。アラクネはそれでもまだアテナを拝もうとせず、技比べをする決心を変えませんでした。

技比べが始まると、アラクネは自分の布にゼウスや他の神が動物に変身して人間の娘を誘惑する様子を描き出し、神々への侮辱を続けました。

その布の出来ばえは非の打ちようがないと思えるほどみごとでした。しかし、神をないがしろにする人間が罰を受けないわけにはいきません。激怒したアテナはその布を引き裂き、手に持っていた機織りの道具でアラクネの頭を打ちました。

　絶望したアラクネは首を吊《つ》って死のうとしましたが、アテナは彼女のことを憐《あわ》れみ、蜘蛛に変えて命だけは助けてやりました。蜘蛛となったアラクネは、今でも自分の出す糸にぶら下がって空中でせっせと機織りを続けているのです。

ヤーコポ・ティントレット『アテナとアラクネ』
ウフィツィ美術館蔵（イタリア）

21 やりたい放題に女神たちに手を出すゼウス

知恵の女神メティスの次にゼウスが妻にしたのは、テミスという掟《おきて》の女神でした。彼女はティタンの一人で、ゼウスの伯母にあたりました。

テミスはまず、ホライという季節の女神たちを産みました。ホライは三人姉妹で、それぞれの名を**エウノミア**（秩序）、**ディケ**（正義）、**エイレネ**（平和）と言います。この名の通り、彼女たちは自然界で季節の運行を司《つかさど》ると同時に人間の社会に秩序と正義と平和をもたらす働きをしていました。

三人姉妹のなかでもゼウスはディケのことを格別に愛していました。ディケは地上で正義が蹂躙《じゅうりん》されると、すぐにゼウスのところへ行き、自分がひどい仕打ちを受けたと訴えます。ゼウスがディケの訴えを無視することはないため、不正を働く人は必ず罰を受けることになるのだと言われています。

ホライたちはアフロディテを自分たちの女主人と考え、忠実な侍女《じじょ》のようにこの女神に仕えていました。それは、アフロディテが草木の芽生えと生長を促し、美しい花を咲かせて自然界に春の目覚めをもたらす女神でもあったからでした。

次にテミスが産んだのは、モイライという運命の女神たちでした。やはり三人姉妹で、それぞれの名を**クロト**（紡ぐ者）、**ラケシス**（分ける者）、**アトロポス**（曲げられぬ者）と言います。

つまり彼女たちの役目は、運命の糸を紡《つむ》ぎ出してそれを人間たちに分け与え、その変更を許さないことでした。

人間の寿命が尽きると、その人の運命の糸がモイライの一人が手に持っているハサミによって断ち切られます。彼女たちが定めた運命は、他の神々でも決して変えることができないと考えられていました。

これ以外にもゼウスは、ヘパイストスを助けたエウリュノメという美しい水の女神を愛人にし、カリテスという美しい三姉妹を誕生させました。

この三姉妹はアフロディテの分身のような美の化身で、それぞれの名を**アグライア**（輝き）、**エウプロシュネ**（喜び）、**タリア**（開花）と言いました。彼女たちはゼウスの王宮の広間に集まった神々の前で華麗な舞いを披露し、オリュンポスの宴会を輝かしく楽しく華やかなものにしました。

アフロディテはキュプロス島のパポス市にある、ギリシア世界で最初に建てられた神殿を地上での本拠地にしていました。カリテスはそこでアフロディテを待ち、彼女が訪れるといそいそと迎えて入浴させ肌に不死の香油《こうゆ》を塗り、華麗な衣を纏《まと》わせて、この美と愛の大女神をさらに魅力的にして世界へ送り出しました。

フランシスコ・デ・ゴヤ『運命の女神たち』
プラド美術館蔵（スペイン）

22 娘を死者の国にさらわれた農業の女神

ゼウスは姉の一人である農業の女神**デメテル**も愛人にし、**ペルセポネ**という娘神を誕生させました。

デメテルは、一人娘のペルセポネのことを目のなかに入れても痛くないほど可愛がり大切にしていました。ところが、ゼウスはそのペルセポネを、自分の兄で地下にある死者の国の王をしているハデスの妃《きさき》にしようとしたのです。

あるとき野原で花摘みをしていたペルセポネは、少し離れたところでみごとな花を咲かせている水仙を見つけました。それは、ゼウスとハデスに協力した大地の女神ガイアが咲かせた花でした。

ペルセポネがその水仙に近づくと、突然大地に大きな割れ目が開き、そこから黄金の馬車に乗ったハデスが飛び出して泣き叫ぶペルセポネを捕らえて地下の冥府にさらっていきました。

このときにペルセポネがあげた悲痛な叫び声は、デメテルの耳にも届きました。愛《まな》娘《むすめ》に何かとんでもないことが起きたことを知ったデメテルは家から飛び出し、それから九日間、松明《たいまつ》を待ち不眠不休で世界中を駆け巡って娘の行方を探しました。

十日目の朝、デメテルは太陽が東の空に昇るのを見て、太陽ならペルセポネに何が起こったかを知っているはずだと考えました。案の定、太陽はペルセポネがハデスによって冥府にさらわれたことを教えてくれました。

さらに太陽は、ハデスに彼女をさらうように勧めたのがゼウスだということも教えてくれたのです。これを聞いたデメテルは、ゼウスに対する怒りで身を震わせました。そして神々の仲間から離れ、人間の女に姿を変えて地上を放浪し始めたのです。

長い放浪の末、デメテルはアッティカの**エレウシス**という土地にやって来ました。彼女が泉の木陰で一休みしていると、そこにこの土地の王ケレオスの四人の娘たちが、水汲《みずく》み

にやって来ました。

デメテルに気づいた彼女たちは親切な言葉をかけ、父の館に来て休むよう勧めました。デメテルがこの招待に応じてケレオス王の館へ行くと、メタネイラ王妃が心のこもったもてなしをしてくれました。

デメテルはこの王妃の申し出を受け入れ、また赤児だった王子のデモポンを養育する係になり、ケレオス王の館に住みこむことになりました。

ロレンツォ・ベルニーニ『プロセルピナの略奪』
ボルゲーゼ美術館蔵（イタリア）

23 ザクロを食べ冥府の女王になったペルセポネ

ケレオス王の館に住みこむことになったデメテルは、この王の一家から受けた親切に報いるため、王子のデモポンを不死にしてやろうと考えました。

そのため、彼女は神々を不死にする神の食べ物**アンブロシア**を赤児の肌にすりこみながら自分の息を吹きかけ、夜になると赤児を火のなかに入れて体の可死の部分を少しずつ燃やしていきました。

ところがある夜、メタネイラ王妃がその様子をのぞき見てしまいました。メタネイラは、大切な我が子が焼き殺されていると勘違いし、大声で泣き叫びました。激怒したデメテルはすぐにデモポンを火から取り出し、彼を不死にするのを止めてしまいました。

デメテルは元の神の姿に戻り、メタネイラに自分が誰であるかを告げ、自分のための神殿をエレウシスに建てるよう命じました。

神殿ができ上がるとデメテルはそのなかに閉じこもり、農業の女神の役目を果たすのを止めてしまいました。そのため、人々が土地を耕して種を播《ま》いても、大地から作物は生えなくなってしまいました。

困ったゼウスはデメテルのもとにいろいろな神々を派遣し、「ゼウスと仲直りをして神々の仲間に戻るように」と説得させました。

しかし、どの神になんと言われても、デメテルは「娘を返してくれないのなら神々の仲間に戻ることも、作物を生やすこともしない」と言い続けました。

ゼウスはやむを得ずヘルメスを冥府に派遣し、「ペルセポネをデメテルのもとへ送り返せ」とハデスに伝えました。ハデスはペルセポネをさらったときに使ったのと同じ黄金の馬車に彼女を乗せ、「地上に連れ帰れ」とヘルメスに命じました。

しかしこの直前、ハデスは母のところへ帰れると聞いて喜んでいたペルセポネの口に、ザクロの実の粒を押し込んで食べさせていました。

ヘルメスはペルセポネをデメテルのもとへ送り届け、母と娘は抱き合って再会を喜びました。しかし、死者の国で食べ物を口にしていたペルセポネは、冥府との縁を断ち切れなくなっていました。

「ペルセポネはハデスと結婚し、死者の国の女王にならなければならない。だが、—

年の三分の一を冥府で過ごせば、あとの三分の二は地上で母と暮らしてよい」

ゼウスは、双方が満足するようにこう取り決め、これをデメテルとハデスに伝えました。デメテルはこの裁定に納得して飢《き》饉《きん》を終わらせ、神々の仲間に復帰することになったと言われています。

フレデリック・レイトン『ペルセポネの帰還』
リーズ美術館蔵（イギリス）

24 デメテルが人間に教えたエレウシスの密儀

ハデスと結婚して死者の国の女王となったペルセポネが地下で夫と一緒に過ごす時期には、麦に代表される作物が地上から姿を消します。しかし、彼女がデメテルの愛《まな》娘《むすめ》として母と一緒に暮らせるあいだ、地上は美しい作物で覆われます。

つまり、ペルセポネは死者の国の女王であると同時に、地面から生えて成長し、収穫されて地上からなくなることを毎年繰り返す麦の化身でもあるのです。そして、その母のデメテルには、麦を自分の愛娘として生み、慈《いつく》しんで育てても、その消滅を嘆かねばならない大地そのものである性質があると考えられます。

事実、デメテルという名は、ダマテルという言葉が原型となっており、これは「**母**（マテル）**である大地**（ダ）」という意味でした。つまり、デメテルは大地の母神ガイアにも似た大女神なわけです。

また、ポセイドンはポセイダオンとも言われますが、この名にも「大地（ダ）の夫（ポシス）」という意味が隠されています。そしてアルカディア地方には、ポセイドンがデメテルと関係を持ち、子どもが生まれたという話も伝わっています。

それによると、あるときデメテルは、ポセイドンが自分に欲情して追って来ていることに気がつきました。そこでデメテルは、牝馬に変身して近くにいた馬たちのなかに隠れました。ところが、ポセイドンはこの女神の変身を目ざとく見破り、自分もすかさず牡馬になって牝馬のデメテルを犯しました。この凌辱《りょうじょく》によってデメテルは妊娠し、デスポイナと呼ばれる娘と一頭の仔馬アレイオンを産みました。

ポセイドンがもともと大地と深い結びつきを持っていたことは、この神が「**大地を揺する者**（エンノシガイオス）」と呼ばれ、地震を起こす神としてギリシア人たちから恐れられていたことからもよくわかります。

さて、エレウシスを去る前、デメテルは可愛がっていたトリプトレモスというケレオス王の息子に麦の種と翼の生えた竜の引く車を与

えました。そして、

「その車を使って空中を飛び、地上に麦の栽培を広めてまわりなさい」

と教えました。またケレオス王には、自分とペルセポネのために毎年エレウシスで実施されねばならない秘密の儀式のやり方を教え、

「儀式に参加した者以外にはこの秘密を漏らしてはならない」

と命じました。

こうして始まったのがエレウシスの密儀で、古代ギリシア人は、この密儀に参加して秘密を守る者はペルセポネの恵みを受け、死後の世界で幸福になれると信じていました。そのため、毎年各地からエレウシスに大勢の人がやって来て、この密儀に参加するようになりました。

25 九人姉妹の詩と学芸の女神たち

ゼウスは自分の伯母だった**ムネモシュネ**という記憶の女神も愛人にしました。オリュンポス山麓のピエリアで、ゼウスは彼女と九夜にわたって関係を持ったので、一年後にムサイという九人姉妹の詩の女神たちが誕生しました。

古代ギリシアにおいて、詩というのは古くは、文字で書き残すものではなく、竪琴《たてごと》の調べに合わせて即興で歌われながら記憶され、次の世代の詩人たちに口伝えで受け継がれるものでした。

ムサイの役目は、その詩を天上で「**ムサイの指揮者**（ムサゲテス）」と呼ばれたアポロンの奏でる音楽に合わせて声を揃《そろ》えて歌い、ゼウスの王宮で開かれる宴会に集まる神々を楽しませることと、地上で人間の詩人たちに歌わせることだと考えられていました。

つまり、詩人たちは自分が作った詩を歌っているのではなく、ムサイから吹き込まれた詩をその通りに歌っているのだと信じられたのです。そのため、彼らは歌い始めるときに必ず「女神よ、どうかこれから歌います詩を、あなた様が私めに歌わせてください」と祈りました。

当時、人間にとって大切な知識はすべて詩のなかに盛り込まれており、詩人たちが記憶していました。そして、現在にまで残るさまざまな学芸は、詩から分かれて独立したものでした。

文芸と学問がいろいろな部門に分かれるにつれ、ムサイがそれらの学芸の全般を部門ごとに分担して司《つかさど》っていると考えられるようになり、詩の女神であるのと同時に学問の女神と見なされるようになりました。

ムサイの長姉**カリオペ**は、詩と学芸の本元である叙事詩の女神だと考えられるようになりました。そして、**クレイオ**は歴史、**ウラニア**は天文学、**メルポメネ**は悲劇、**タリア**は喜劇、**テルプシコレ**は合唱隊の歌う詩、**エラト**は恋愛の詩、**エウテルペ**は笛の音楽とそれに合わせて歌われる詩、そして**ポリュムニア**は踊りの女神と見なされるようになりました。

音楽の演奏というのは、そのなかで一つ一つの音がそれぞれ定められた諧調《かいちょう》を厳守することで、聞く者の心を陶酔《とうすい》させる調べとなります。音が外れれば、たちまち聞き苦しい雑音になってしまいます。つまり、竪琴を奏でてムサイを合唱させることでも、アポロンは「何ごとにも、度をすごすな（メデン　アガン）」というデルポイの箴言《しんげん》の範を示していたわけです。

26 アポロンに音楽の勝負を挑んだ愚か者のシレノス

音楽の神アポロンが、分際を守らせることにどれほど厳しかったかは、彼に音楽の技比べを挑み、残酷きわまりない罰を受けた愚か者の話からも知ることができます。

あるときアテナが得意の技術で笛を発明し、神々の宴会の席で吹いてみせました。するとヘラとアフロディテが、頬をふくらませたアテナの顔がこっけいだと言って笑いました。

憤慨したアテナは現在のトルコ北西部にあったフリュギアまで行き、そこで笛を吹いている自分の顔を川の水に映して見てみました。すると、ヘラとアフロディテに言われた通りこっけいに見えたので、アテナは変なものを発明してしまったと後悔しました。

そして「こんないまいましい楽器は、誰も使うことがないようここに捨てましょう。もし拾って使う者があれば、その者は世にもひどい罰を受けるでしょう」と言って笛をそこに投げ捨て、天上に帰りました。

その後、**マルシュアス**というシレノスがそこを通りかかりました。シレノスというのは、上半身は人間の体ですが、二本の馬の足としっぽを持っており、耳も馬の耳の形をしているというひょうきんな精霊です。

物好きなマルシュアスは捨ててあった笛を見つけ、いじくりまわしているうちに、どんな曲でも思いのままに吹くことができるようになりました。

マルシュアスはすっかり慢心し、自分が世界一の音楽家だと思い込み、音楽の神アポロンに技比べを申し込みました。アポロンは「勝った者が負けた者を好きな目にあわすことができる」という条件で、このマルシュアスの申し込みに応じました。

アポロンの奏でる竪琴《たてごと》の調べとマルシュアスの吹く笛の音は、それぞれに特色があり、優劣の判定をつけるのが難しいように思われました。ところがアポロンは、突然竪琴を上下さかさまに持ちかえ、それまでと同じように美しい音楽を奏でてみせたのです。そしてマルシュアスにも「同じことをしてみせろ」と要求しました。

しかし竪琴とは違い、笛はさかさまにして演奏することができませんでした。こうしてマルシュアスの負けが決まると、アポロンは彼を捕らえて松の木にぶら下げました。

マルシュアスは「楽器の技比べくらいでこんな罰を受けるなんてひどすぎます」と泣き叫びました。しかし、アポロンは容赦せず、生きたままマルシュアスの皮を体から剥《は》ぎ取るという世にも恐ろしい罰を与えました。

その場に居合わせた精霊やニンフ、人間の農夫や牧夫たちは、みなマルシュアスの悲惨な苦しみに同情して大量の涙を流しました。そして、その涙がフリュギアを流れるマルシュアス河になったと言われています。

ホセ・デ・リベーラ『アポロンとマルシュアス』
サン・マルティーノ美術館（イタリア）

27 妻を冥府から連れ戻そうとした音楽の名人

ムサイの長姉カリオペは、オイアグロスという男と結婚しました。オイアグロスは、トラキアの王だったとも、この地方を流れる河の神だったとも言われています。そして二人のあいだに、**オルペウス**という音楽の天才が産まれました。

彼は人間の演奏する最初の竪琴《たてごと》を発明したとも、もとは七絃《しちげん》だったこの楽器の絃の数を自分の母と叔母であるムサイの数に合わせて九本にしたとも言われています。

当時、ギリシアの東北にあったトラキアという国には乱暴な野蛮人たちが住んでいました。しかし、オルペウスが竪琴を奏で、それに合わせて即興の詩を歌うと、野蛮なトラキア人たちも、その美しさに感動して争いを止めたと言われています。

さらに、鳥や獣もオルペウスのまわりに集まって来て、歌と音楽に聞き入り、木や草までが絶妙な調べに動かされ彼のほうになびいたそうです。

オルペウスは**エウリュディケ**という可憐《かれん》なニンフ（自然界に宿る女性の精霊）と結婚し、この妻をかけがえのない宝物のように愛《いと》おしみました。ところがその幸福な結婚婚生活のさなかに、エウリュディケが毒蛇に噛《か》まれて死んでしまったのです。

「エウリュディケと別れたままでいることなどできない」

悲嘆にくれたオルペウスは、死んだ妻を生き返らせて地上に連れ帰ろうと考え、竪琴を奏で歌を唄いながら死者の国までたった一人で行くことにしたのです。

しかし、生きた人間は死者の国に入れないというのが定めです。そのため、冥府の入り口にはケルベロスという犬の頭を三つ持ち、体から無数の生きた蛇が生えている世にも恐ろしい番犬がおり、生者がなかに入ろうとしたり、いったんなかに入った死者が逃げ出さないよう目を光らせていました。

ところがこの恐ろしい**ケルベロス**も、オルペウスの歌と音楽に聞き惚《ほ》れてしまい、彼を妨げるのを忘れてしまいました。同じように他の魔物たちもみな、妙なる調べにうっとりと聞き惚れてしまい、彼の通過を妨げようとする者はいませんでした。

オルペウスはこうして死者の国の王ハデスとその妃《きさき》ペルセポネの前まで行き着くことができました。そして、そこでまた竪琴を奏で歌を唄いながら、愛妻と別れている悲しみを切々と訴え、エウリュディケを地上に連れ帰ることを許してほしいと哀願しました。

無情なはずの冥府の支配者たちも、彼の演奏と訴えに心を強く動かされました。そして、オルペウスがエウリュディケを連れ帰ることを許したのです。

フランソワ・ペリエ『ハデスとペルセポネの前に立つオルフェウス』
ルーヴル美術館蔵（フランス）

28 オルペウスの失敗とオルペウス教

ただし、オルペウスがエウリュディケを地上に連れ帰るためには条件がありました。

「そのためには一つだけ、お前に固く守ってもらわねばならないことがあります。地上に帰り着くまで、お前は常にエウリュディケの前を歩き続けること。そして、**決して振り返って背後にいるエウリュディケを見ようとしてはなりません**。もし、この禁を破れば、お前はエウリュディケを冥府に残し、来たときと同じようにまた一人で地上に帰らなければなりません」

ペルセポネは彼にこう告げました。

妻を連れ帰ることを許されたオルペウスは、喜びで我を忘れるほどでした。そしてペルセポネに言われた通り、エウリュディケを背後に従え、勇んで地上に向かいました。

しかし、地下にいるあいだのエウリュディケは亡霊でしたから、一切物音を立てず、オルペウスには彼女がいる気配がまったく感じられませんでした。歩き続けるうち、オルペウスは彼女が本当について来ているのか不安に思えてきました。やがて不安は我慢しきれないほど大きく膨れあがり、ついにオルペウスは振り返ってしまいました。たしかにそこにエウリュディケはいました。しかし、彼に見られた彼女は絶望した様子で手を差しのべて永遠の別離を告げたかと思うと、たちまち消え失せて見えなくなってしまいました。

愛する妻とこんな悲しい別れ方をして地上に帰ったオルペウスは、エウリュディケのことをいつまでも思い続け、他の女には目もくれなくなりました。

彼の美貌と歌はトラキアの女たちを夢中にさせましたが、彼はかたくなに彼女たちを無視し続けました。その結果、彼女たちの愛は激しい憎悪に変わり、大勢で彼に襲いかかって八つ裂きにして殺し、死骸を竪琴《たてごと》と一緒に川に投げ捨ててしまいました。

彼の頭と竪琴は海に流れ、波に運ばれてレスボス島に漂着し、この島の人たちによって

手厚く葬られました。これ以降、この墓から竪琴の響きと歌が聞こえてくるようになり、その影響でレスボス島は、女流詩人の**サッポ**など優れた詩人が輩出するようになったと言われています。

また、冥府から戻った後、オルペウスは秘密の儀式と戒律を定め、その儀式を受け戒律を守って生活する者に、自分だけが知っている死後の世界の秘密を教えました。この教えは**オルペウス教**と呼ばれる宗教となり、のちに哲学者の**プラトン**などにも強い影響を与えました。

ギュスターヴ・モロー『オルフェウス』
オルセー美術館蔵（フランス）

29 母ガイアと息子ウラノスから産まれた子どもたち

世界のはじめに、神々よりも先に存在していたのは**カオス**でした。カオスというのは、あらゆる物のあいだに何の区別もなく、すべてが混じり合っている巨大な淵《ふち》のことで、現在でもまったくなくなったわけではなく、世界の果てに大きな口を開けています。

現在、我々が住む世界は、物と物とのあいだにはっきりした区別が付いています。つまり、古代ギリシア人がコスモスと呼んだ秩序が成り立っているわけです。

しかし、コスモスは再びカオスに呑《の》み込まれて消滅してしまう危険に絶えず晒《さら》されています。ゼウスとオリュンポスの神々の最も大切な務めは、カオスの呑み込もうとする力に対抗し、コスモスを維持し続けることです。

カオスの次に生まれたのは、大地の女神**ガイア**と**タルタロス**、そして**エロス**でした。タルタロスは男性の神でもあり、クロノスとティタンたちがゼウスとの戦いに負けるとそこに閉じ込められました。そこは地底にある暗黒の世界で、世界に害を及ぼす悪神や魔物が投げ込まれて罰を受ける場所です。

エロスは愛の神です。愛は美しいものを見たときに起こる感情なので、エロスは神々のなかでもとりわけ美しい美青年でした。

男女を結びつけ子を産ませるエロスの力は世界の維持に欠くことができません。そのため、エロスは最も古い神の一人として世界のはじめに生まれなければならなかったのです。

この後、カオスは、エレボスとニュクスという二人の子どもを生みます。エレボスは地下の暗闇の男神であり、ニュクスは不気味な夜の女神です。二人はやがて、エロスの導きによって結ばれ、この世の最初の結婚をし、地上を照らす光よりも清らかな天上の高空の神アイテルと、昼の女神へメラという両親とは正反対の性質の子どもが生まれます。これによって昼と夜、地下の闇と天上の光という時間と空間の区別ができるようになりました。

ひるがえって、大地の女神ガイアはこのエロスの力を借りず、つまり誰とも夫婦にならず天空神**ウラノス**と**山々**、そして海神**ポントス**を産みました。こうして天と地、山と平地、海と陸が区別されたわけです。

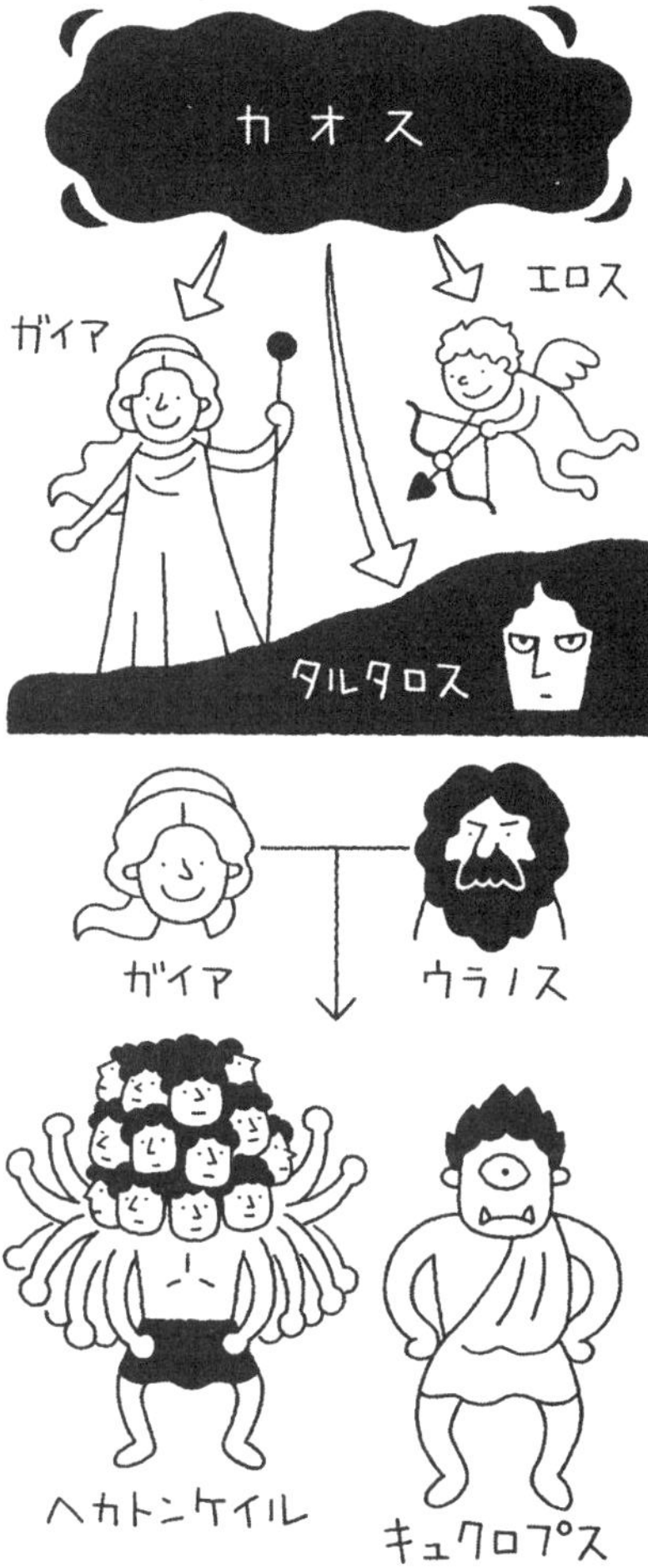

その後、ガイアはウラノスと結婚し、ティタン神族と呼ばれる男女六人ずつの子（オケアノスと妻テテュス、ヒュペリオンと妻テイア、イアペトス、ムネモシュネ、テミス、コイオスと妻ポイペ、クレイオス、クロノスと妻レア）を産みました。そし

て次に、恐ろしい異形の息子たちを産みました。

まず生まれたのは**キュクロプス**（円目）という、額のまん中に丸い目を一つだけ持った三人の巨人でした。次に、**ヘカトンケイル**（百手）という、想像もつかないほど巨大な体で、五十の頭と百本の怪力の腕を持っている世にも恐ろしい怪物を三人産みました。

ウラノスはこの不気味な息子たちを憎悪し、生まれるとすぐに身動きができないように縛り上げ、母のガイアの腹のなかに戻して地下に閉じ込めてしまいました。

30

ウラノスの去勢とアフロディテの誕生

たとえ怪物だったとはいえ、ウラノスが我が子にした仕打ちはガイアを憤慨させました。自分の腹に重荷を押し込めて苦しめ、息子たちをひどい目にあわせているウラノスに仕返しをする決心をしたガイアは、**アダマス**という硬い金属を産み、それでノコギリのようなギザギザの刃のついた巨大な鎌を作りました。そして、それを使ってウラノスを罰するようティタンたちに命じました。

年長のティタンたちは、その命令に従うことを躊躇《ちゆうちよ》しましたが、末弟の**クロノス**が自分からその役目を買って出ました。

ガイアはクロノスに鎌の使い方を教え、待ち伏せ場所に隠れさせました。そしてウラノスがガイアに欲情して地上に降臨し、彼女に覆いかぶさろうとしたとき、クロノスは左手で父の勃起している男性器を掴み、右手に持った鎌で刈り取って投げ捨てました。

ウラノスの男性器は海に落ちましたが、不死の神の体の一部だったため、朽ちずに海面を漂っていました。そのうちにその肉塊から白い泡が湧き出し、やがてその泡のなかに愛らしい女の子が生まれました。その女の子は泡に入ったまま海上で成長し、絶世の美女となりました。これが美と愛の女神**アフロディテ**です。

西風の神ゼピュロスがこの泡に息を吹きかけ、東へ送りました。泡はギリシア本土の南の沖を通り過ぎ、なお東へ運ばれ続けて、地中海の東の端にあるキプロス島に到達しました。

アフロディテが裸身のまま泡から出て島に上陸すると、女神の足が触れた地面にたちまち緑の草が生え、美しい花が咲き乱れました。

気がつくと、季節の女神のホライが、アフロディテにお仕えしようとして迎えに来ていました。彼女たちはアフロディテに、花がいっぱい縫い取りされた神の衣を着せ、冠、耳飾り、首飾りなどで魅力的に装わせ天上の神々のところへ案内しました。その際、愛の神**エロス**と欲望の神**ヒメロス**がアフロディテのお供をしました。

神々はみな、アフロディテを見るとその美しさに驚嘆しました。しかも、彼女のお供をしてきたエロスとヒメロスが、神々の心に激しい愛と欲望の炎を燃やしたため、このときアフロディテに恋をしなかった男の神は、一人としていなかったと言われています。

サンドロ・ボッティチェリ『ヴィーナスの誕生』
ウフィツィ美術館蔵（イタリア）

31 オリュンポスの十二神たち

アフロディテのお供をして一緒に天に昇ったとされているエロスは、このときから彼女のことを自分の母親のように慕い、孝行しながら一緒に暮らすようになりました。エロスはアフロディテより前に誕生していた最古の神でしたが、このためにアフロディテの子と考えられるようになりました。

アフロディテが加わったことで、古代ギリシア人が「**オリュンポスの十二神**」と呼んだ主な神々の顔ぶれが揃いました。**ゼウス**とその妃《きさき》**ヘラ**、ゼウスの兄で海の王**ポセイドン**、ゼウスの姉でかまどの女神**ヘスティア**と農業の女神**デメテル**、ゼウスの子**アテナ**、**アポロン**、**アルテミス**、**アレス**、**ヘパイストス**、**ヘルメス**。そして**アフロディテ**です。ゼウスのもう一人の兄、冥府の王ハデスが十二神に数えられていないのは、いつも地下の死者の国にいて、神々の集まりに参加することができないためです。

ギリシア神話の神々は、古代ローマ人たちによってもラテン語で呼ばれ崇《あが》められました。そのため、西洋美術や文学作品のなかには、これらの神々がラテン語の名前で登場することのほうが多くなっています。

また、日本ではそのラテン語の名を英語読みにした呼び方も使われてきました。そのため、十二神のそれぞれの名を表にして掲げておきましたので、参考にしてください。英語読みがよく使われている場合には、それをラテン語名の右に付け加えておきます。

ギリシア語の名	ラテン語の名	英語読み
ゼウス	ユピテル	ジュピター
ヘラ	ユノ	ジューノー
ポセイドン	ネプトゥヌス	ネプチューン
ヘスティア	ウェスタ	ヴェスタ
デメテル	ケレス	
アテナ	ミネルワ	ミナーヴァ
アポロン	アポロン	
アルテミス	ディアナ	ダイアナ
アレス	マルス	マーズ
ヘパイストス	ウルカヌス	ヴァルカン
アフロディテ	ウェヌス	ヴィーナス
ヘルメス	メルクリウス	マーキュリー

さらに、これまでの話のなかに出てきたその他の神たちの名前についても同じように紹介しておきましょう。

ギリシア語の名	ラテン語の名	英語読み
エロス	クピド	キューピッド
クロノス	サトゥルヌス	サターン
ハデス	ディス	
ペルセポネ	プロセルピナ	
モイラ	パルカ	
カリス	グラティア	グレース
ムサ	ムサ	ミューズ
パン	ファウヌス	フォーン

十二神の一人にもかかわらず、**ヘスティア**はこれまでの話に登場していません。それは、ヘスティアは大切な女神ですが、神話のなかで活躍することはほとんどないか

らです。

古代のギリシアの建物は、王宮も神殿も一般人の家も、メガロンと呼ばれる長方形の広間を中心にして建てられ、その広間のまん中に必ず丸いかまどがありました。ヘスティアは、このかまどとそこで燃える火を司《つかさど》る女神です。そのため、世界中を飛び回っていろいろな活躍をする他の神々と違い、決して動こうとしません。

かまどとそこで燃える火を、古代ギリシア人たちは「絶対に汚してはならない」と考えていました。そのため、ヘスティアも決して純潔を汚すことがありません。

ポセイドンとアポロンが彼女に求婚しましたが、ヘスティアはそれを断って永遠に処女でいることを厳《おごそ》かに誓い、ゼウスに許されたと言われています。

第2章

ゼウスの王権の確立

32 ティタンたちから生まれた神々

天空の神ウラノスは息子のクロノスに去勢されたため、大地の女神ガイアの夫であり続けることができなくなりました。そのため、クロノスが神々の王としてティタンたちと一緒に世界を支配することになりました。

ウラノスが地上に降臨することがなくなったため、のびのびと活動できるようになったティタンたちは、結婚して子どもを作りました。

ティタンの長兄**オケアノス**は、大地のまわりを取り巻いて流れている真水の巨大な河で、世界中のすべての河と泉の水源です。彼は妹の**テテュス**を妻にし、二人のあいだには三千人の河の神と、オケアニデスという三千人の美しい水の女神たちが生まれました。

オケアニデスの長姉は、地下の冥府に湧く泉**ステュクス**で、オケアノスから流れ出る水の十分の一がこの泉の水になると言われています。

ゼウスがティタンたちと戦おうとしたとき、自分に味方をしてくれる者たちをオリユンポス山に集めましたが、このときステュクスは父のオケアノスの勧めに従い、まっ先に駆けつけました。そのためゼウスは「ステュクスの泉の水にかけた誓いは神々も破ることができない」という特権を彼女に与えました。

ステュクスの活躍のおかげでオケアノスも、ゼウスがティタンたちとの戦いに勝利した後も他のティタンたちのような罰を受けることはなく、世界の河と泉の水源であり続けました。

オケアニデスのなかには、他にも重要な女神がいます。たとえば、ゼウスの最初の妻となりアテナを妊娠した知恵の女神**メティス**もそうですし、オケアノスに捨てられた技術の神ヘパイストスをテティスと一緒に助け、のちにゼウスの愛人となり美の女神カリテスを産んだ水の女神**エウリュノメ**もその一人です。

ティタンのヒュペリオンは妹のテイアと結婚し、二人のあいだには太陽の神**ヘリオス**と月の女神**セレネ**、そして曙《あけぼの》の女神**エオス**が生まれました。

ヘリオスは朝になると世界の東の果てにある黄金の宮殿を四頭の馬が引く車に乗って出発し、彼より先に東天に出現しているエオスが開けてくれる門を通って天上の道を駆け、夕方には西の果てに降ります。そして、巨大な黄金の盃《さかずき》に馬車と一緒に乗り、オケアノスの上を航海して宮殿に戻り、翌朝まで休むという毎日を繰り返しています。

夜のあいだは、ヘリオスに代わってセレネが二頭の馬が引く車に乗って天を巡ります。後の時代の神話では、アポロンとアルテミスが太陽と月の神と考えられるようになりますが、もともとは太陽と月はこのヘリオスとセレネだったのです。

ドミニク・アングル『ユピテルとテティス』
グラネ美術館蔵（フランス）

33 父クロノスと子ゼウスの戦い

ティタンたちの王になったクロノスは、姉のレイアと結婚しましたが、ガイアに、「彼が父のウラノスから世界の支配者の地位を奪ったように、彼自身もレイアの産む子によって神々の王位から追われる運命にある」と告げられました。そのため、レイアから生まれる子を次々に呑《の》み込んだことはすでにご紹介した通りです。

しかし、レイアが最後に産んだゼウスは、生まれるとすぐに大地の女神ガイアによってクレタ島の岩屋に隠されました。そして、土地のニンフ（自然界に宿る女性の精霊）たちに育てられ、成長するとガイアの教えに従ってクロノスを騙《だま》して吐き薬を呑ませ、腹に飲み込んでいた兄たちと姉たちを吐き出させました。

それから兄のポセイドンとハデスと協力し、自分に味方する神々を集め、それまで世界を支配していたクロノスとティタンたちと戦争をはじめました。

ティタノマキアと呼ばれるこの戦争は十年間続いても勝負がつきませんでした。そのとき、ゼウスはガイアから「地下に閉じ込められたままになっているキュクロプスとヘカトンケイルたちを地上に連れて来て味方にすれば、ティタンたちに勝てる」と教えられました。

それでさっそく彼は、ポセイドンとハデスと一緒に地下に降り、怪物の叔父たちの縛《いまし》めを解いて太陽の下に連れ出しました。

彼らは感謝してゼウスの強力な味方となり、鍛冶の名手だったキュクロプスたちは、強力な武器を作りゼウスと彼の兄たちに献上しました。

ゼウスが受け取ったのは無敵の威力を持つ**雷**で、ポセイドンには先が三《み》つ叉《また》に分かれた**戟**《ほこ》が、そしてハデスには被ると姿が見えなくなる**兜**《かぶと》が贈られました。

ヘカトンケイルたちは戦場へ駆けつけ、百本ある怪力の手で巨大な岩を掴《つか》み、雨《あめ》霰《あられ》のようにティタンたちに投げつけました。

ゼウスの雷に打たれて目が見えなくなったティタンたちは、ヘカトンケイルたちが一度に三百ずつ投げる山のような大岩の下敷きになりました。こうして身動きができなくなったティタンたちは、ついに降参しました。

ティタンたちは、ヘカトンケイルに縛り上げられ、地底の奥にあるタルタロスに押し込まれました。

ゼウスは地底とも縁の深いポセイドンに、タルタロスの口を青銅の門と壁で封鎖させ、閉じ込めた者が出てこられないようにしました。そして、ヘカトンケイルたちを地底に住まわせ、この門の番をさせることにしました。

34 大地の女神ガイアの怒り

ゼウスと戦ったティタン軍のなかでずばぬけて手強《てごわ》かったのは**アトラス**でした。彼はティタンのイアペトスとオケアニデスの一人であるクリュメネの長男でした。途方もない巨体で怪力を持つアトラスに対し、ゼウスは特別な罰を与えました。それは、世界の西の果てに立ち、そこで天が落ちてこないよう、頭と両腕で一瞬も休まずに支え続けねばならないという過酷な罰でした。

アトラスがこの罰を受けている場所の近くには楽園があり、そこにはゼウスがヘラと結婚したときにガイアが贈り物として生え出させた、目映《まばゆ》い黄金の実がなるリンゴの木があります。

人間が決して行くことのできないその楽園には、ヘスペリデスという三人の夕暮れ（ヘスペラ）の女精たちがいて、アンブロシアの湧く泉のまわりで手をつないで歌い踊りながら、恐ろしい竜と一緒にその木を守っています。

こうしてゼウスはティタンとその仲間を成敗し、オリュンポスの神々の王として世界を支配することになりました。

しかし、ティタンたちをタルタロスに幽閉《ゆうへい》したことがガイアを激怒させることになりました。彼らもまた、ガイアが腹を痛めて産んだ息子たちだったからです。

そこでガイアは、以前にウラノスとクロノスにしたように、ゼウスにも手に入れた世界の支配者の地位を失わせようとしました。そしてそのため、次々に恐ろしい怪物の子どもたちを産んでゼウスと戦わせました。

ガイアが最初に産んだ怪物は**ギガンテス**と呼ばれる巨人たちで、その父親はウラノスでした。クロノスがウラノスを去勢したときにほとばしった血は大地に浸透し、それによって妊娠したガイアは長い年月をかけていろいろな子を産みました。ギガンテスもこのようにしてガイアがウラノスの血によって受胎《じゅたい》した子どもたちでした。

ギガンテスは巨大な体と怪力を持ち、脚は二本とも大蛇の形をしていました。そして、生まれるとすぐに凄《すさ》まじい叫びをあげ、火のついた大木や山のような巨岩を天に向かって投げながら神々に戦争をしかけてきました。

しかし、ゼウスはオリュンポスの神々と、当時はまだ人間の英雄だったヘラクレスの助けを借り、この巨人たちを亡ぼしました。

35 怪物テュポンとの戦い

巨人たちが亡ぼされてもガイアは諦めませんでした。そして最後の手段として、暗黒界の神タルタロスと交わり、恐ろしい怪物**テュポン**を産みました。

この怪物は、立つと頭が天に触れ、両腕を広げると一方の手は世界の東の端、もう一方の手は西の端に届くほど巨大でした。上半身は、一応人間の形をしていましたが、肩から蛇の頭が百本生え、腰から下はとぐろを巻いている大蛇の姿で全身に羽が生えていました。

テュポンはたくさんある目と口から火を噴き、燃えさかる巨岩を投げながら天に向かって突進して来ました。それを見ると、ゼウス以外の神々はみな胆を潰してオリュンポスから逃げ出し、エジプトへ逃げて行ってしまいました。

そしてそこでテュポンに見つからないよう、いろいろな動物に姿を変えて隠れました。そのため、エジプトでは神々が動物の形で拝まれるようになったのだと言われています。

他の神々が逃げてしまったため、ゼウスは単身でこの怪物と戦わざるを得なくなりました。彼は雷を投げつけながらテュポンに近づき、鎌で切りつけて重傷を負わせました。そして、逃げるテュポンをシリアまで追って捕まえ、とどめを刺そうとしました。ところが逆に、テュポンの下半身の大蛇に絞めつけられ、鎌を奪い取られてしまったのです。

ゼウスから鎌を奪い取ったテュポンは、彼の手足から腱《けん》を切り取りました。

こうして抵抗できなくなったゼウスを、テュポンは現在のトルコの南東部に位置するキリキアという地方まで運んでいき、岩屋に閉じ込め、デルピュネという上半身だけ人間の女の姿をした竜女に番をさせました。

ゼウスは絶体絶命でしたが、ここで大泥棒の才能を持ったヘルメスを誕生させておいたことが役に立ちました。

ヘルメスは息子のパンと力を合わせてゼウスを岩屋から救い出しました。さらに、岩屋の番をしていた竜女を騙《だま》し、熊の皮に包んで隠してあったゼウスの腱を取り戻し、彼の手足に戻してやったのです。

力を取り戻したゼウスは天に昇り、油断していたテュポンに雷を投げつけました。テュポンは驚いて逃げ出しましたが、ゼウスは攻撃の手を緩めず、続けざまに雷を投げつけながら追っていきました。

そして、シチリア島の東端で**エトナ山**を投げつけてその下敷きにしました。こうしてテュポンは身動きできなくなりましたが、まだ死なずに火を吐き続けています。そのため、エトナ山からは今でも火と溶岩が噴出しているのだと言われています。

36 勝利を収め、永遠に神々の主となったゼウス

ガイアが最後に産んだ最も強力な怪物テュポンが惨敗したことで、ゼウスは祖父のウラノスや父のクロノスとは違い、ガイアでも交代させることのできない神々の王であることが明らかになりました。

このときまでガイアは、ウラノス、クロノス、そしてゼウスと、三代にわたって世界に君臨する神を思い通りに取り替えてきました。

最初は、我が子ウラノスを自身の夫にすることで世界の支配者の座につけ、次にはクロノスに命じてそのウラノスを去勢させ、クロノスを神々の王にしました。

そして、生後すぐのゼウスを助けてやったうえ、ティタンたちとの戦いに勝つまで適切な援助を与え続けてゼウスを神々の王にしました。

つまり、支配者の男神がガイアの意に逆らうことをすれば、すぐに他の者に代えられていたということで、世界を実際に取り仕切っていたのはガイアだったわけです。

しかし、ゼウスの勝利によって、この繰り返しにはっきりと終止符が打たれました。

ガイアもゼウスから神々の王の地位を奪うことが不可能であることを覚り、彼の無敵の力を認めました。こうしてゼウスはオリュンポスの神々の王として、世界を永遠に支配し続けることになったとされています。

確固たる世界の支配者の地位を築いたゼウスは、もはや恐ろしい敵ではなくなったティタンたちをタルタロスから解放してやりました。

古代ギリシア人たちは、世界の果てに「**至福者たちの島**」と呼ばれる楽園があり、そこにゼウスは気に入った英雄たちを死後に住まわせて極楽のような幸せな暮らしをさせていると考えていました。

ゼウスはクロノスと仲直りしたのち、彼をこの島に住む英雄たちの王にしてやったと言われています。

第3章
十二神の後に加わった神ディオニュソス

37 ゼウスの股から誕生した異色の神

オリュンポスの十二神が揃《そろ》った後、ゼウスはその十二神に劣らない大切な神になる息子をさらに二人誕生させました。

一人は**ディオニュソス**で、もう一人は**ヘラクレス**です。この二人が他のオリュンポスの神々と違っていたのは、どちらも母親が人間の女性ということでした。

ディオニュソスの母は、**セメレ**というテバイの王女でした。テバイの町を建設して初代の王になったカドモスという英雄は、人間でありながらアレスとアフロディテの娘ハルモニアという女神と結婚しました。セメレはこの結婚で生まれた子どもの一人でした。

セメレの美貌に目をつけたゼウスは、彼女を愛人にしてディオニュソスを身籠もらせました。

烈火の如く怒った正妻のヘラは、セメレを育てた乳母の姿に変身し、テバイの王宮へ行きました。そしてセメレからゼウスの子を妊娠していることを打ち明けられると、

「その男が、本当にゼウスかどうかを確かめたほうがいいですよ」

と忠告したうえで、さらに、

「次にその男が来たら、ステュクスの泉の水に誓いを立てさせ、あなたの頼みを何でも聞くと約束させたうえで、ゼウスの正体を見せてくれるよう願いなさい」

と勧めました。

ヘラのことを乳母と信じきっていたセメレには、彼女の意見がもっともに思えました。そこで彼女は、次にゼウスの訪問を受けたときに言われた通りにしました。

セメレの頼みを聞いたゼウスは仰天しました。そして、

「私が正体を見せれば、お前は死んでしまうだろう」

と説明し、セメレにその要求を取り消させて他のことを願わせようとしました。

しかし、そう言われるとセメレには、目の前の男が本当にゼウスなのかどうかだんだん疑わしく思えてきました。そのため、なんと言われても願いを取り消さず、ゼウスの正体を見せてくれるよう要求し続けました。

ゼウスはやむを得ず、セメレの前で本当の姿に戻りました。すると、セメレはゼウスの灼熱《しゃくねつ》に一瞬も耐えることができず、たちまち焼け死んでしまいました。

しかし、このとき六か月の胎児に成長していたディオニュソスは、彼女の胎内でまだ生きていました。

そこでゼウスは、焼け死んだ愛人の死体からディオニュソスを取り出し、自分の太股に縫いこみました。そして、ディオニュソスが充分に成長すると縫い目を解いて取り出し、誕生させたのです。

ギュスターヴ・モロー『ユピテルとセメレ』
ギュスターヴ・モロー美術館蔵（フランス）

38

怒り狂うヘラと海神になったレウコテア

つまり、ディオニュソスは神々の王であるゼウスの体から誕生したわけです。

ギリシア神話には男の神が人間の女を愛人にして生ませた子どもや、女神が人間の男と関係して生んだ神の子たちがたくさん登場します。

だがこのように片親が人間である神の子たちは不死の神ではなく、あくまでも人間で、どんなに傑出した英雄であっても最後には死ななければなりません。

しかしディオニュソスの場合、たしかに母は人間の女性でしたが、最終的には最も尊い神であるゼウスの体内で育てられ、そこから生まれました。

そのため、片親だけが神である他の神の子とは違い、生まれながら正真正銘の不死の神だったのです。

ゼウスは息子のヘルメスに命じ、ディオニュソスをオルコメノスという町に運ばせました。この町の王はアタマスという人で、その妃《きさき》の**イノ**はセメレの姉でした。

ヘルメスは彼女にディオニュソスを預け、「死んだ妹に代わってこの子を育てるように」というゼウスの命を伝えました。

イノはかしこまって承知し、自分の甥《おい》であるこの子を真心込めて育てようとしました。

ところが、そのことがヘラの逆鱗《げきりん》に触れました。イノがセメレの子を養育していることを知ったヘラは、アタマスとイノを発狂させました。

この夫婦にはレアルコスとメリケルテスという幼い二人の息子がいましたが、狂ったアタマスにはレアルコスが鹿にしか見えなくなりました。そのため、彼は息子を射殺してしまいました。

また、イノはメリケルテスのことをぐつぐつ煮えたぎる釜のなかへ投げ込んでしまい、その死骸を抱いて海に身を投げました。

しかし、この可哀想な母と子の運命はそれで終わりではありませんでした。

海にはネレイデスと呼ばれる五十人姉妹の美しい水の女神たちが住んでおり、その一人はポセイドンの妃で海の女王**アンピトリテ**です。慈悲深いネレイデスはこの母子を憐《あわ》れみ、イノをレウコテアという名の女神に、メリケルテスをパライモンという名の神にし、自分たちの仲間に入れてやったのです。

このような慈悲を受けたため、二人は嵐の海で難破しそうな船や、溺れかけている人間を見ると見過ごすことができずに現われ、救いの手を差しのべる情け深い海の神となりました。

39 バッコスの信女たちが発揮した無敵の力

この事件の後、ゼウスはディオニュソスを子山羊の姿に変え、ヘルメスに命じてギリシアから遠く離れたニュサという土地に連れて行かせました。そして、ニュサに住むニンフたちに彼を育てさせました。

成長すると、ディオニュソスはブドウを栽培するようになりました。そして、その実から得も言われぬ陶酔を味わわせるお酒を作る方法を考案し、ブドウとブドウ酒の神になりました。

このことを知ったヘラはまた烈火のように怒り、今度はディオニュソスを発狂させました。狂ったディオニュソスは、エジプトからフェニキア、シリアなどをさまよった末、現在のトルコ北西部のフリュギア地方にたどり着き、そこで**キュベレ**という偉い女神に助けられました。

キュベレに仕える祭司たちはコリュバンテスと呼ばれ、去勢をして女の服を着るという異様な風体をしていました。彼らは笛や太鼓をやかましく鳴らし、踊り狂いながら自分で自分の体を傷つけることによって、気高い女神キュベレに仕える誠を示しました。そして、新しく仲間になる者は自ら去勢しなければなりませんでした。

キュベレはディオニュソスの狂気を治してやっただけではなく、彼にこの風変わりな祭りの秘密をすべて伝授しました。

ディオニュソスは、キュベレから教わった秘密に独自の工夫を加え、密儀と呼ばれる秘密の祭りを考案しました。この祭りは人里から遠く離れた山のなかで、ディオニュソスの信仰に帰依《きえ》したバッカイ（ディオニュソスの別名であるバッコス**の信女たち**という意味）とも、マイナデス（狂女たち）とも呼ばれる女たちによって行われました。

彼女たちは衣服の代わりにネブリスと呼ばれる子鹿の皮を纏《まと》い、帯に生きた蛇を締め、手に松明《たいまつ》とテュルソスと呼ばれる松の実、そして木蔦《きづた》で飾った杖を持ち、笛と太鼓をやかましく奏でて踊り狂いました。

この祭りをしている女たちが発揮する不思議な怪力には、武装した男たちも敵《かな》わず、あたりにいる獣を素手で捕まえて八つ裂きにし、血をすすり肉を生のままで食べました。

ディオニュソスはこの祭りをギリシアに伝える前に、まずアジアに広めることにしました。

この遠征には信女だけではなく、半分馬の形をした精霊のシレノスや、その同類のサテュロスたちも大喜びでお供をしました。お酒が大好きなうえ、無類に好色な彼らには、信女たちに欲情してたわむれながらお酒を飲める神のお供をすることが楽しくてたまらなかったのです。

信女たちは無敵だったため、ディオニュソスはたちまちインドまで征服し、各地に自分の信仰とブドウを広めました。

40 ペンテウスの迫害

アジアの各地に信仰を広めたディオニュソスは、いよいよギリシアの人々も自分の密儀に帰依《きえ》させることにしました。彼がアジア出身の信女たちを連れ、最初に訪れたのは故郷のテバイでした。

テバイを建設して初代の王になった英雄**カドモス**は、すでに老齢となっており、王位は**ペンテウス**という孫に譲っていました。

ペンテウスの母**アガウエ**はセメレの姉の一人でした。つまり、ペンテウスとディオニュソスは従兄弟だったわけです。

テバイの女たちは、たちまちバッコスの信女になりました。なかでもとくに熱心だったのはペンテウスの母アガウェでした。

彼女は信女たちの指揮者になり、王宮を捨てて山中に入り、ディオニュソスの祭りに耽《ふけ》るようになりました。

それを知ったペンテウスは激怒しました。

「女たちが家庭を捨て、妻や母親としての務めを忘れて山中で狂乱に耽るとは何ごとだ。こんな不道徳な祭りを許すことはできない」

そして、信女たちを捕らえて牢《ろう》に入れるなどして、ディオニュソスの祭りが国に蔓《まん》延《えん》するのを食い止めようとしました。

しかし、信女たちを縄で縛っても結び目が自然に解け、牢の扉も開いてまた山中に戻ってしまいました。

若くて血気盛んだったペンテウスは、このような奇蹟《きせき》を目の当たりにしても神の偉大さを受け入れることができず、逆にますます怒ってディオニュソスの信仰に対する迫害を厳しく行いました。そしてその結果、ついにディオニュソスを怒らせてしまい、残酷きわまりない罰を受けることになりました。

テバイにやって来たディオニュソスは、艶《なま》めかしい優男の姿をし、「自分はアジアからディオニュソスの信仰を広めに来た祭司だ」と言って、信女たちを指揮していました。

女々《めめ》しいことと、みだらな行為が大嫌いなペンテウスは、この祭司を目の敵《かたき》にして、何がなんでも捕らえて罰しようと躍起になっていました。

ある日、ペンテウスが差し向けていた兵士たちが、ディオニュソスを縛り上げて連行してきました。

ディオニュソスは神出鬼没だったため、それまではどうしても捕らえることができませんでした。ところが今回は、自分から「ペンテウスのところへ私を連れて行け」と言い、何の抵抗もせずに縛られたのだと言います。

ペンテウスはディオニュソスをさんざん罵《ののし》った後で、家畜小屋に閉じ込めました。するとディオニュソスは地震と火事を起こし、ペンテウスの王宮をめちゃめちゃに破壊してしまいました。

そして、それと同時に自分の幻を出現させ、ペンテウスがその幻に向かって剣を振っているあいだに難なく王宮を脱出しました。

41 ディオニュソスにたぶらかされたペンテウス

破壊された王宮からペンテウスが命からがら脱出すると、ディオニュソスが祭司の姿で微笑みながら立っていました。ペンテウスは驚きましたが、怯《ひる》まずにその祭司を罵《ののし》って捕らえようとしました。

すると、そこに牛飼いがあたふたとやって来ました。そして自分がキタイロンの山中で見たバッコスの信女たちの狂態を、ペンテウスに詳しく報告しました。

この男は牛の群れを追っている最中に、信女たちが**バッコスの祭り**をしているところに遭遇しました。祭りを指揮していたのはペンテウスの母アガウェでした。

「あのアガウェ様を信女たちからお離しし、ペンテウス様のところへお連れすれば、王さまは喜ばれてたくさんのご褒美をくださるだろう」

こう考えた男は、仲間の牛飼いたちとしめし合わせて茂みに身を隠しました。すると、間もなくアガウェが踊り狂いながら近づいて来たので、牛飼いたちはいっせいに飛び出して捕らえようとしました。ところが、信女たちの激しい反撃を受け、ほうほうのていで退散しました。

そしてその直後、彼らは世にも恐ろしい光景を目撃しました。祭りに乱入してきた不埒《ふらち》な狼藉者《ろうぜきもの》どもを追い払って勝ち誇った信女たちが、喚声をあげながら近くにいた牛の群れに襲いかかったのです。そして、子牛や牝牛《めうし》だけではなく、群れのボスの牡《お》牛《うし》まで、何の刃物も使わずに素手でまたたくまに八つ裂きにしてしまったのです。

それから信女たちは疾風のように山を駆け下り、麓《ふもと》の村を襲いました。村の男たちは、慌てふためきながらも武器を取って抵抗しましたが、信女たちの体を槍《やり》で突いても血の一滴も出ませんでした。

男たちはさんざ痛めつけられて追い払われ、村は狂って暴れまわる信女たちによって滅茶苦茶にされてしまいました。

この報告をしたうえで、牛飼いの男はペンテウスに恐る恐る進言しました。

「こんな不思議なことを起こすことがおできになる神は、国をあげて崇《あが》めお祭りすべきではないでしょうか」

しかしペンテウスは逆に、信女たちが牛飼いの報告したようなことを続けるのを、今すぐ止めさせなければならないと思いました。そのため彼は、信女たちの討伐《とうばつ》に向かおうとしました。

するると、さっきからずっとそこにいたディオニュソスが、はやり立つペンテウスの前に微笑みながら立ちふさがり、こう言いました。

「王さまは山のなかで信女たちがしていることを、ご覧になりたくはありませんか」

ミケランジェロ・ブオナローティ『バッカス像』
バルジェロ美術館蔵（イタリア）

42 母と信女たちに八つ裂きにされたペンテウス

ディオニュソスにそう言われると、ペンテウスの心に変化が起きました。

ペンテウスは、優男の祭司に指揮されているディオニュソスの祭りは恥知らずでみだらなものであるに違いないと確信していました。そのため、彼はその不道徳な祭りを何としても止めさせようと躍起になっていました。なぜなら、血気盛んなペンテウスは女々《めめ》しいことと、みだらな行為に猛烈な嫌悪を感じていたからです。

ところが、その潔癖なペンテウスが、あられもない姿でみだらな行為に耽《ふけ》っている女たちの様子を近くで見たいという気になったのです。

ペンテウスは、さっきまで忌み嫌っていたバッコスの信女の身なりをし、「信女たちの様子がよく見える場所に案内しましょう」というディオニュソスに導かれ、キタイロンの山中に入っていきました。そして信女たちのいる場所の近くまで来ると、ペンテウスはディオニュソスに「よく見えるように高い木に登らせてくれ」と頼みました。ディオニュソスはにっこり笑い、そこに生えていたモミの大木に手をかけました。

すると、その木はたちまち弓なりに曲がり、てっぺんが地面に付きました。

ディオニュソスはペンテウスを枝に坐《すわ》らせると、木をゆっくりもと通りのまっすぐな形に戻しました。その途端にディオニュソスの姿は見えなくなり、天上から「私とお前たちの敵をここへ連れて来たので懲《こ》らしめてやれ」と、信女たちに命令する神の声が聞こえてきました。

あたりを見まわした信女たちは、すぐに木の上にいるペンテウスを発見しました。モミの大木は信女たちにあっという間に引き抜かれ、その拍子にペンテウスは地面に落下しました。そして、アガウェがまっ先に襲いかかりました。

「ま、待ってください。私はあなたの息子のペンテウスです！」

彼は必死にアガウェに向かって叫びましたが、アガウェも他の信女たちもディオニュソスにすっかり狂わされており、ペンテウスをライオンだと思い込んでいました。そのため、ペンテウスの悲痛な叫び声も、彼女たちにはライオンの咆哮《ほうこう》にしか聞こえませんでした。

アガウェが必死に慈悲を乞うペンテウスの左腕を肩の付け根から引き抜くと、他の信女たちもいっせいに飛びかかり、彼の体をずたずたに引き裂いてしまいました。

43 人間の女たちを女神にしたディオニュソス

ディオニュソスはペンテウスにしたのと同じような恐ろしい罰を、自分の信仰に従わない者たちに容赦なく与えました。

アルゴスという町では、密儀に入信するのを拒否した女たちがディオニュソスに狂わされて山に入り、まだ乳呑み児《ちのご》だった自分の子どもを八つ裂きにして食べてしまいました。

オルコメノスでは、国王ミニュアスの三人の王女たちだけがバッコスの密儀に耽《ふけ》っている女たちを非難しながら王宮に残り、機織《はたお》りにいそしんでいました。ディオニュソスは乙女の姿で王宮を訪れ、彼女たちに心得違いだと諭《さと》し、「すぐ山へ行き、信女たちの仲間に加わりなさい」と勧めました。ところが、彼女たちはこの説得に耳を貸そうとせず、なおせっせと機織りを続けました。

怒ったディオニュソスは乙女の姿から猛々《たけだけ》しい牡牛《おうし》に変身し、さらにライオンから豹《ひょう》へと姿を変えました。このとき、機織りの台から神々の飲み物のネクタルが、得も言われぬ芳香《ほうこう》をあたりに漂わせながらミルクと一緒に流れ出ました。

これを見て発狂した王女たちは、「今すぐ私たちの子のなかから一人を選び、ディオニュソス様に犠牲としてお捧げしましょう」と叫び、三人でくじを引きました。くじが当たったのはレウキッペでした。彼女はヒッパソスという我が子を、泣き叫ぶのもかまわず八つ裂きにしました。

その後、王女たちは揃《そろ》って山へ入り、バッコスの密儀に耽ることになりましたが、最終的には一人はコウモリ、一人はフクロウ、そしてもう一人はミミズクに変身させられてしまいました。このように、ディオニュソスが逆らう者に対し次々に恐ろしい罰を与えたため、たちまちのうちに信仰はギリシア中に広まりました。

やがて彼は冥府に降りていき、死者の国の王ハデスに頼み、死んだ母のセメレを生き返らせて上の世界へ連れて行く許可をもらいました。そして母と一緒に天に昇り、ともにオリュンポスの神々の仲間に加わることになりました。

その後、ディオニュソスは**アリアドネ**という女性を天上に連れて行き、妻にしました。アリアドネはクレタ島のミノス王の王女で、もともとは人間の女性でした。しかし、天上で不死の女神となり、バッコスの信女たちから女王として崇《あが》められることになりました。

ディオニュソスと関係を持ち、女神になった人間の女性はセメレとアリアドネだけではありません。以前にお話ししたイノも、この神のために母の代役をしようとしてヘラの罰を受け、殺した息子を抱いて海に飛び込みましたが、結局、イノはレウコテア、その息子はパライモンという海神になったのは、すでにお話しした通りです。

44 混沌を現出するディオニュソス、秩序を求めるアポロン

これまでのお話でわかる通り、ディオニュソスはギリシア神話の神々のなかできわめて風変わりな存在です。

そのため古代ギリシア人たちは、ディオニュソスが正真正銘ゼウスの子どもでありながら、ギリシアから遠く離れた土地で育てられ、フリュギアという異国の女神**キュベレ**から教わった奇異な祭りを持ち込んでギリシア中に広めたという神話を作りあげたわけです。

しかし、ギリシアでディオニュソスが崇《あが》められるようになったのは、他の神々が祭られるようになるよりも前のことでした。

私たちが知っているギリシア神話ができつつあったのは、紀元前二千年期後半のミュケネ時代ですが、この頃にはすでにディオニュソスは、ギリシア本土でもクレタ島でも信仰されていたことがわかっています。

ディオニュソスが他のギリシアの神々と最も違っていた点は、物と物とのあいだに

あるはずの区別を曖昧にし、消滅させてしまうことでした。

以前にもお話ししたように、古代ギリシア人は、彼らが**コスモス**と呼ぶ世界の秩序は、物と物が混同されずにはっきり区別されていることで成り立っていると考えていました。

そして、世界がまた混沌《こんとん》（**カオス**）に呑《の》み込まれ、区別がなくなってしまうことからコスモスを守るのが神々の任務だと考えていました。

オリュンポスの神々のなかでは、アポロンがコスモスの維持に最も厳格で、とりわけ重要だった神と人間との違いが曖昧になることを絶対に許さなかったことは、すでに何度も述べました。

ところがディオニュソスは、人間の母を持ちながら父である最高神の体から正真の神として産まれましたし、人間の女性だったセメレ、イノ、アリアドネを女神にしたことからも、神と人間の区別を曖昧にしていたことがわかります。

ディオニュソスには「アイオロモルポス（さまざまな形を持つ）」「ミュリオモルポス（無数の形を持つ）」などの別名がありますが、そのあだ名の通り、人態神のほか、牡牛《おうし》、ライオン、豹《ひょう》、蛇などに姿を変え、どれが正体なのか判然としません。つまり、人間とそれらの動物の違いも、この神によって曖昧にされていると言えるでしょう。

さらに、古代ギリシアの三大悲劇詩人の一人、エウリピデスの『バッコスの信女たち』の一二三五〜一二三六行にはこう記されています。

「この神がテバイに現われたときに黄金色の巻き毛をし、髪は芳香《ほうこう》を放ち、頬の色は真紅で、眼にはアフロディテの色香を宿していた」

つまり、ディオニュソスは、その艶《なま》めかしさによって、男と女の違いすら曖昧にしていたということです。

45 自然界と融合することで信女たちが味わった至福

ディオニュソスは彼の密儀に入信した女たちに、区別がすべて解消されてしまう不思議を味わわせていました。

『バッコスの信女たち』の六九五～七一一行によると、牛飼いがペンテウスに、自らが見てきた信女たちの振る舞いを次のように報告しています。

「まず髪を肩まで垂れるにまかせておいて、小鹿の皮の結び目の解けた者はみな結び直し、そのまだらの皮に彼女らの頬を舐《な》める蛇を帯の代わりに締めたのです。中には鹿や獰猛《どうもう》な狼《おおかみ》の子を腕に抱いて、白い乳を与えている者たちもありました。まだ子を産んだばかりで乳房が張っているのに、その嬰児《えいじ》を置き去りにしてきた者たちです。木蔦《きづた》に樫《かし》、それに花の咲いたミラクスで編んだ冠を頭に戴き、一人が霊杖を取って岩を打つと、そこから甘露《かんろ》のような清水が噴出しました。また別の女が茴香《ういきょう》の杖を地面に突き刺すと、その場所に神はブドウ酒の泉を湧き出させました。白い飲み物を飲みたいと思う者たちには、指先で地面を掻《か》けば乳が流れ出てきますし、木蔦を絡ませた霊杖からは蜂蜜の甘い流れが滴《したた》り落ちました」

古代ギリシアの女たちは、普段は髪を後頭部でまげの形に束ね、ミトラと呼ばれるヘッドバンドで留めていました。しかし、バッコスの信女たちはこのように髪を結《ゆ》うことをせず垂れるにまかせ、激しい踊りで髪を振り乱していました。

そのうえ彼女たちは、前にも書いた通り、衣服の代わりに小鹿の皮を身につけ、生きた蛇を帯の代わりに締め、その蛇が自分たちの頬を舐めるにまかせていました。

ディオニュソスには「**解放する者**（リュアイオス）」いうあだ名もありました。その名の通り、彼は山中に連れて来た女性たちを、結髪や衣服に象徴される人間を野獣と区別している文化の束縛と規範から解放し、自然との融合を遂げさせたのです。

このことは、乳呑み児を家に置き去りにしてきた女性たちが、鹿や狼の子に乳を与えるという振る舞いによっていっそう明瞭に表現されました。

また、ブドウとともにディオニュソスの最も愛好する植物のツタや、その他の野生植物で編んだ冠を頭に戴せ、先端に松の実を付けツタをからませたバッコスの祭儀には欠かせないテュルソスという霊杖を手に持つことも、信女たちが自然界と融合した状態にあったことを表わしていました。

このようにして、信女たちが動植物と自分たちを区別している境界線を取り払い、自然との融合を行うと、労苦することなく清水やブドウ酒、乳、蜂蜜などの飲食物が岩や地面、霊杖などから欲しいだけ湧いてきました。

46

スパラグモスとオモパギアによる神との同化

信女たちが体験した美味しい飲食物がいくらでも湧いてくるという不思議な現象は、彼女たちが文化の束縛から解放されたために起こったことでした。

文化のなかでは、人間は労苦して大地を耕し、作物を栽培して収穫したものを料理し、はじめて食事にありつくことができます。文化の規範から離脱したことで、信女たちはこの人間の定めから解放され、草食獣がしているように、大地から生じるものを何の手も加えずに飽食できる幸せを味わえることになったのです。

さらに、自分たちと同じ子鹿の皮を着たディオニュソスが先頭に立って野獣を捕らえ、八つ裂きにして血の滴《したた》る生肉を食う**スパラグモス**（八つ裂き）と**オモパギア**（生肉食い）の儀礼を行う姿を目の当たりにし、信女たちもその甘美な喜びに耽溺《たんでき》しました。

このことは『バッコスの信女たち』の一三五～一三九行に、アジアからディオニュソスに従ってやって来た信女たちからなる合唱隊によって、次のように歌われています。

「山中にて甘美なる神、疾駆する信女の群れに先立ちゆきて、地に身を投げ、子鹿の聖なる衣を纏《まと》いて、牡山羊を狩り取り血を流して殺し、生肉を食う喜びに耽《ふけ》りたまう」

このときディオニュソスは、同一四五〜一四七行に「バッケウスの神は燃える松明《たいまつ》を高く掲げ持ち、茴香《ういきょう》の杖を振って突進に駆り立てる」とある通り、信女たちが手にしているのと同じ松明と霊杖を持ち、同一五〇行に「嫋《たお》やかな髪を高空へ振り乱す」とあるように、信女たちと同様に長い髪を振り乱しています。

つまり、髪も衣服も持ち物も自分たちと同じ姿で現われるディオニュソスの指揮に従い、神と一緒に密儀に耽ることで神と彼女たちの境界線が解消されたのです。そして、一人一人が神と同化し、「女バッコス（バッケ）」になりきるという神秘的体験を味わい、その法悦《ほうえつ》に酔いしれていたわけです。

さらに、この法悦の頂点でスパラグモスとオモパギアに耽ることで、信女たちは肉食獣と化して自分たちと野獣の境界を解消したのです。人間の文化のなかで肉食というのは、牛に代表される家畜を儀式に従って神々への供物《くもつ》として刃物で殺し、骨は祭壇の上で香料と共に燃やし、肉と内臓を料理して食べるというやり方で行われていました。このような供犠の儀礼をせず、しかも素手で八つ裂きにした野獣の肉を生のまま貪《むさぼ》ることで、信女たちは自分たちと野獣の距離を極限まで近づけたわけです。

47 ギリシア文化の表の顔アポロン、裏の顔ディオニュソス

ディオニュソスの密儀のなかで、信女たちは人間を律している文化の規範から解放されて自然と融合し、自分たちと獣の境界を解消させました。さらに彼女たちは、自分たちの密儀を指揮している神の声を聞き、その神と合一して同化を遂げる至福に酔いしれていました。

そして自らも山羊、牡牛《おうし》、ライオン、豹《ひょう》、蛇など獣の姿となり、さらに信女たちにも獣との境界をなくさせるディオニュソスのことを、シレノスやサテュロスといった獣とも人間ともつかない姿をした半獣の精霊は、自分たちの主人と見なしました。彼らは密儀に加わって酒に酔い、信女たちとたわむれることを無上の楽しみとしていました。

このように、文化と自然、人間と野生の動植物、さらに神と人間と獣の境界までもを束の間とはいえ消滅させたディオニュソスは、世界の秩序（コスモス）を維持することを任務としていた他のオリュンポスの神々とは反対の働きをしていたことになり

ます。

とくに、境界を守ることに神々のなかで最も厳格で、人間と神の違いが曖昧にされることを絶対に許さなかったアポロンと、境界を消滅させるディオニュソスの働きは正反対でした。

つまり、アポロンは古代ギリシア文化の表の顔で、ディオニュソスはその裏の顔だったと言えるでしょう。

コスモスが厳格に維持されることで実現する均整を何よりも尊んだ**アポロン的**な考えと、カオスを望んだ**ディオニュソス的**な考えが共存することで、ギリシア文化は単純な一枚岩ではなく、複雑な深みを持ったのです。

古典ギリシア文学を代表する傑作といえば、言うまでもなく「アイスキュロスとソポクレスとエウリピデスの悲劇」と「アリストパネスの喜劇」ですが、その悲劇と喜劇はどちら

もディオニュソスの祭りから誕生したもので、主な作品は紀元前五世紀にこの神の祭りのなかで上演されました。このことからも、ディオニュソスが古代ギリシア文化に必要不可欠だったことがよくわかります。

第4章

十二神の後に加わった神ヘラクレス

48 婚約者になりすましたゼウス

半神半人の英雄**ヘラクレス**の母親は、**アクルメネ**という人間の女性でした。アルクメネはミュケネの王エレクトリュオンの娘で、父の死後に故国を離れ、従兄で婚約者だったアンピトリュオンと一緒にテバイで暮らしていました。

ゼウスはアルクメネの美貌に目をつけ、彼女にヘラクレスを産ませることにしました。しかし、それには一つ重大な障害がありました。アルクメネは貞操《ていそう》が堅固で、たとえ神々の王であるゼウスが言い寄ったとしても、アンピトリュオンを裏切って操《みさお》を汚すことなどありえなかったのです。

しかし、やがてゼウスにとって絶好の機会がやって来ました。アンピトリュオンがアルクメネをテバイに残して戦争に出かけたのです。

「あなたが凱旋《がいせん》した暁には、あなたの妻になりましょう」

アルクメネはこう約束しました。

アンピトリュオンはその戦いに大勝利をおさめテバイに向かっていましたが、彼が到着する前夜、ゼウスは太陽神ヘリオスに三日のあいだ空に出ないよう命じ、夜がいつもの何倍も長く続くようにしました。

ゼウスはアンピトリュオンの姿に変身してアルクメネのところへ行き、戦いの様子やアンピトリュオンがあげた手柄を、実際にあった通りに話して聞かせました。そして長い夜のあいだ、自分をアンピトリュオンだと思い込んだアルクメネの処女の体を思う存分味わい、ヘラクレスを妊娠させたのです。

ゼウスが満足して天に帰ると、その翌晩にアンピトリュオンが凱旋し、すぐにアルクメネと夫婦の契りを結びました。

しかし、アルクメネは結婚初夜を迎えてもあまり感激した様子が見られず、しかもアンピトリュオンが戦いの話をするとけげんな顔をして、「そのお話は昨夜あなたからうかがいました」と言いました。

アンピトリュオンは、アルクメネが前の晩にすでに自分に抱擁されており、しかも戦いと自分のあげた手柄の話まで聞かされたと思い込んでいることに気づき、テイレシアスという有名な予言者のところへ行き、その理由を尋ねました。

テイレシアスは、ゼウスがアルクメネにしたことをアンピトリュオンに伝えました。

妻がゼウスの子を妊娠していることを知らされたアンピトリュオンは恐れ、それから一切アルクメネと夫婦の交わりを持ちませんでした。

しかし、その前に一度だけした交合によって、アルクメネはアンピトリュオンの子も妊娠していました。

ヘラクレスにはイピクレスという自分よりはるかに劣った双児の弟がいましたが、彼は人間の子だったため、兄にまったく及ばなかったのです。

49 五十人の子の父親になったヘラクレス

ヘラクレスには生まれる前から、彼に意地悪をしようとして機会をうかがっている執念深い敵がいました。それは言うまでもなくゼウスの正妻ヘラです。

彼がいよいよ生まれようとすると、ゼウスは神々の前で「今日これから生まれる私の血を引く人間の子は、王として近隣の諸国からも仰がれるようになるだろう」と宣言しました。

ヘラはすぐに、それがヘラクレスのことだと気づき、悪だくみを考えました。まずヘラは、ゼウスに「いま、あなたが言われたことが必ずその通りになると、ステュクスの水にかけてお誓いなさい」と言いました。ゼウスは妻の企みに気づかないまま、神も破ることができない誓いをたてました。

するとヘラは、自分の娘であるお産の女神**エイレイテュイア**を下界に派遣し、ヘラクレスの誕生を遅らせる一方、まだ妊娠七か月だった**エウリュステウス**という子をその日のうちに誕生させました。

エウリュステウスはゼウスの子ではありませんでしたが、ペルセウスという名高い英雄の孫で、そのペルセウスはゼウスがダナエという人間の女性に産ませた子でした。つまり、エウリュステウスもゼウスの血を引く人間の子だったため、ゼウスがヘラクレスのために予言した運命は、このエウリュステウスの身に成就することになったのです。

しかし、それでもヘラは満足せず、ヘラクレスが生まれてしばらくすると、彼が弟のイピクレスと一緒に寝かされている部屋に毒蛇を二匹放ち、彼らを殺そうとしました。イピクレスはゆりかごのなかで蛇を見つけると怯《おび》えて激しく泣き叫びましたが、ヘラクレスは平然と両手で一匹ずつ蛇の首を掴《つか》み、二匹同時に締め殺してしまいました。イピクレスの悲鳴を聞いて駆けつけたアンピトリュオンは、この様子を目の当たりにし、自分の子とゼウスの子の違いを思い知らされたと言われています。

ところで、ヘラクレスは十八歳のときに、キタイロン山に巣くっていた巨大なライオンを退治して最初の武勲をあげました。この狩りは困難を極め、五十日間もかかりました。そのあいだ、彼は毎夜この怪物の害に苦しんでいたテスピアイの王**テスピオス**の館で歓待を受け続けました。

この王には五十人の娘がおり、「ヘラクレスのような勇士の子を孫に持ちたい」と思っていたテスピオスは、毎夜別の王女を彼と同衾《どうきん》させました。

ヘラクレスはそのことに気づかず、毎夜同じ娘を抱いていると思い込んでいました。王女たちはみな妊娠し、ヘラクレスは知らぬまに五十人の男の子の父親になっていました。

50 子殺しと難業の始まり

キタイロン山のライオンを退治した後、ヘラクレスは生まれ故郷のテバイのために大きな手柄をたてました。

テバイは以前、オルコメノスと戦争をして負けており、そのときから毎年百頭の牛を貢ぎ物として贈ることになっていました。そこでヘラクレスはオルコメノスに戦争をしかけ、テバイに攻め込んで来た敵軍に壊滅的打撃を与えたうえ、オルコメノスの王まで討ち取ってしまったのです。

これ以降、オルコメノスは毎年二百頭の牛をテバイに貢ぎ物として贈ることになりました。これに対する感謝として、テバイの王クレオンは、ヘラクレスに自分の娘の**メガラ**を妻として与えました。この妻を愛したヘラクレスは、彼女に何人もの子どもを産ませました。

ヘラクレスが妻と子どもたちと幸せな暮らしを楽しんでいるのを見て激怒したヘラは、彼を発狂させました。狂ったヘラクレスはメガラが産んだ我が子を敵と勘違いし、一人残らず矢で射殺してしまいました。

正気に戻ったヘラクレスは、自分がしたことの恐ろしさに愕然《がくぜん》としました。そしてデルポイへ行き、アポロンの神託に「何をすれば、子殺しの大罪を償《つぐな》うことができるでしょうか」と尋ねました。

神託の答えはこうでした。

「このままティリュンスへ行ってエウリュステウス王に仕え、彼が命じる十の難業を果たさなければならない。首尾よくそれらの難業を果たすことができれば、お前は不死を得て天上の神々の仲間入りを許されるだろう」

エウリュステウスがヘラの悪だくみによって、ヘラクレスより先に誕生させられたことはすでにお話しした通りです。そのため、彼はゼウスがヘラクレスのために予言した運命を自分のものにし、ティリュンスの王になったうえにミュケネやアルゴスなど近隣の重要な市まで支配していました。

ヘラクレスとエウリュステウスは同族の間柄でしたし、エウリュステウスの祖父は英雄ペルセウスでした。ところが、エウリュステウスはヘラの企みによって無理矢理早産させられたため、ペルセウスともヘラクレスとも似つかない腑抜《ふぬ》けの臆病者でした。

自分の主君としてはまったく相応《ふさわ》しくないこのような男の家来になり、その命令を果たすことはヘラクレスにとって屈辱的なことでした。しかし、エウリュステウスにとっても、ヘラクレスのような桁外れに強い者を家来に持つのは恐ろしいことでした。

リュシッポス『ファルネーゼのヘラクレス』
ナポリ国立美術館蔵（イタリア）

51 ネメアのライオンと猛毒の水蛇ヒュドラの退治

その恐ろしいヘラクレスを亡き者にしようと考え、エウリュステウスは不可能に思える難事を次々に命じました。

しかし、その命令を自分で伝えることは恐ろしくてできませんでした。それでエウリュステウスはヘラクレスが城壁内に入ることを禁じ、コプレウスという伝令を使って城壁外にいるヘラクレスに命令を伝えました。

それでもまだエウリュステウスは安心することができず、ヘラクレスが市中に乱入して自分に害を加えようとするときにいつでも中に逃げこめるよう、青銅製の頑丈な**大甕**《おおがめ》を地中に埋め込みました。

これだけ用心をしたうえでエウリュステウスがヘラクレスに命じた最初の難事は、ネメアに住んでいる**怪物のライオンを退治し、皮を剥**《は》**ぎ取って来る**ことでした。

このライオンは、どんな刃物でも傷つけることができない丈夫な体を持っていました。そこでヘラクレスは棍棒《こんぼう》を武器にして、まずこのライオンを口の二つある洞穴のなかへ追いこみました。そして、一方の口を塞いだうえでもう一方の口から入り、ライオンの首を腕で締めて絶命させました。

この怪物の皮を剥ぐのも大変な作業でしたが、ヘラクレスはライオン自身の爪を使い、どんな刃物も受けつけないその皮を剥ぎ取りました。このときからヘラクレスは、常にこのライオンの皮を身に纏《まと》い、頭を兜《かぶと》の代わりにかぶるようになったのです。

二番目の難事は、レルネの沼に住む**ヒュドラという猛毒の蛇の怪物を退治する**ことでした。この蛇には頭が九つあり、まん中の頭は不死で、他の頭は切られると切り口から二つ新しい頭が生えてくるという恐ろしい怪物でした。

ヒュドラ退治の際、ヘラクレスは双子の弟イピクレスの息子で自分の従者となっていたイオラオスを連れて行きました。

彼の邪魔をしようとしたヘラは怪物の大蟹《おおがに》を送り、ヒュドラの加勢をさせましたが、ヘラクレスはこの蟹を踏み潰してあっという間に殺してしまいました。

ヒュドラの厄介な頭を始末するため、ヘラクレスはイオラオスに命じて近くの森に火をつけさせました。そして、ヒュドラの頭を切り取るたびに傷口を燃えている木で焼かせ、新しい頭が生えてこないようにし、最後に残った不死の頭は地中に埋め、その上に巨大な石を置いて絶対に出てこられないようにしました。

さらに彼はヒュドラの胴体を裂き、猛毒の胆の血に自分の矢の矢尻を浸しました。ヘラクレスが射る矢は猛毒を持つことで知られていますが、それには、このような理由があったのです。

しかし、ヘラクレスからヒュドラ退治の報告を受けたエウリュステウスは、伝令のコプレウスにこう申しつけました。

「ヒュドラ退治は、お前が果たさなければならない十の難業には数えられない。なぜならお前は、甥《おい》に助けてもらったからだ――そうヘラクレスに、申し渡すのだ」

52 聖鹿と猛猪の捕獲、畜舎の清掃、怪鳥の掃討

次にヘラクレスが命じられたのは、ケリュネイアの山中にいる**黄金の角を持つ大鹿を捕らえる**という難業でした。この鹿は、女神アルテミスの聖獣で、五頭いるなかの一頭。アルテミスはそのなかの四頭に自分の車を引かせ、一頭は放し飼いにしていました。

この駿足《しゅんそく》の獣を傷つけずに捕らえようとしたヘラクレスは、一年間にわたって後を追い続けました。そして、疲れた鹿がアルカディア地方のラドンという川を渡ろうとしたときに、ようやく捕らえることができました。

ヘラクレスがその鹿を肩に担ぎ、エウリュステウスのもとへ運んでいこうとしたまさにそのとき、目の前にアルテミスが現われて「なぜ、私の聖獣を無断で捕らえるのだ」とヘラクレスを批難しました。

ヘラクレスは、難業の一つとしてエウリュステウス王に命じられ、やむを得ずやったことだと説明し、用がすめば放すことを約束してエウリュステウスのところまで連

れて行くことをアルテミスに許してもらいました。

次にヘラクレスが命じられたのは、アルカディア地方の**エリュマントス山に住む大《おお》猪《いのしし》を生け捕りにしてくる**ことでした。ヘラクレスはこの狂暴な怪物を網で捕らえ、やはり肩に担いで帰りましたが、エウリュステウスはこの猪の恐ろしさに震えあがり、地中に埋めてあった青銅の甕《かめ》のなかに逃げこんでしまいました。

次の難業は、エリスの**アウゲイアス王の畜舎を一日のうちに一人で清掃する**ことでした。

この王は莫大《ばくだい》な数の家畜を飼っていましたが、その家畜を入れる広大な畜舎は一度も掃除されたことがありませんでした。そのため、おびただしい量の糞《ふん》が溜《た》まり、手のつけようがない状態になっていたのです。

ヘラクレスは王のところへ行き、「家畜の十分の一を報酬としていただけるなら、一日で畜舎をきれいにして差し上げましょう」と言いました。

王が承知をすると、ヘラクレスは近くを流れるアルペイオスとペネイオスという二つの川の水を引いてきて畜舎のなかを流しました。それで、溜まっていた汚物はあっという間に跡形もなくなりました。

ところがアウゲイアスは、ヘラクレスがこの仕事をエウリュステウスの命で行ったことを知り、「それなら報酬の必要はない」と言って約束した家畜を彼に与えませんでした。

さらに、エウリュステウスもヘラクレスがアウゲイアスに報酬を求めたことを理由に、「これを十の難業に入れることはできない」と言いました。

次の難業は、アルカディアの**ステュンパロス湖の周囲の森に住む鳥の大群をみな殺しにする**ことでした。

そのためには、鳥を森から飛び立たさなければなりませんでしたが、女神アテナが技術の神へパイストスに注文して作らせた青銅製のシンバルのような楽器を持って来てくれました。

ヘラクレスが山の上でその楽器をやかましく打ち鳴らすと、鳥たちは驚いていっせいに飛び立ったので、すべてを矢で射殺することができました。

53 猛牛と人食い馬の生け捕り、アマゾンの国への航海

次に命じられたのは、クレタ島の**ミノス王が所有している狂暴な牡牛《おうし》を連れてくる**という難業でした。ヘラクレスはクレタ島へ行き、ミノスに理由を話して牡牛を連れていくことを願い出ました。

するとミノスはこう言いました。

「あの牛は恐ろしくて持ち主の私の手にも負えないので、捕らえることができるならどこへでも連れて行くがよい」

ヘラクレスは格闘の末、牡牛を捕らえることに成功し、エウリュステウスのところへ連れて行きました。

次の仕事は、トラキアの**ディオメデス王が飼っている牝《めす》の人食い馬たちを連れて帰る**ことでした。馬の数は四頭で、ディオメデスは自分の国にやってくる外国人を捕らえてはその馬の餌食《えじき》にしていました。この悪行を罰するため、ヘラクレスはまずディオメデスをその馬の檻《おり》に投げ込み、食い殺させました。そして満腹になり、おとなし

くなった馬たちをエウリュステウスのところへ連れて帰りました。

次にエウリュステウスは、自分の娘のため、**アマゾンの女王ヒッポリュテが身に着けている宝の帯を持ってくる**ようにとヘラクレスに命じました。

アマゾンというのはトラキアのさらに北方の辺境に住んでいる女戦士たちのことで、子どもが生まれても女の子しか育てず、右の乳房は武器を使う邪魔にならないように取り除いてしまうという特異な部族でした。

なぜならアマゾンは、戦争の神アレスが自分たちの先祖なのだと信じ、戦争以上に神聖な義務は他にないと考えていたためでした。

ヘラクレスは船を仕立て、途中でいろいろな冒険をしながら、黒海の沿岸にあるアマゾン国まで長い航海をしました。

船が港に着くとヒッポリュテが自らやってきて、ヘラクレスに「何が目的でこんな遠方まで旅をしてきたのか」と尋ねました。ヘラクレスがその理由を説明すると、貴重な帯を与えることをあっさり承知しました。

勇猛果敢なことで知られた女戦士の女王は、逞《たくま》しい巨漢のヘラクレスを一目見て、彼にただならぬ好意を感じたのです。そして、ヘラクレスの喜ぶことなら何でもしてやりたいという気持ちになったのでした。

ところが、この様子を天上から見ていたヘラは立腹しました。「ヘラクレスがアマゾンたちと戦いもせずに女王の宝の帯を手に入れてしまうのを許すわけにいかない」と思ったのです。そこでヘラは、アマゾンの一人に変身し、大声で叫び回りました。

「大変です！　ヒッポリュテ様が異国人たちに船で連れ去られようとしています！　さあ、みんなでお助けしましょう！」

アマゾンたちは大急ぎで武装して馬に乗り、港に攻め寄せてきました。

これを見たヘラクレスは、ヒッポリュテが自分を罠《わな》にはめたのだと思い込み、彼女を殺して死体から帯を剥《は》ぎ取りました。そしてアマゾンたちを撃退した後、また長い航海をしてギリシアへ戻り、持ち帰った帯をエウリュステウスに与えました。

54 太陽から借りた巨大な杯で牛の群れを連れて帰る

次に命じられたのは、**ゲリュオンが飼っている牛の群れを連れてくる**という難業でした。

ゲリュオンとは、三人の巨人が腹のところで一つになっている世にも不気味な怪物でした。つまり、胸から上は三つに分かれており、三つの頭と六本の腕があり、腰の下には足が六本あったのです。

この巨人が住んでいたのは世界の西の果てにあるエリュテイアという島でした。世界の果てにはオケアノスと呼ばれる巨大な川が流れていますが、エリュテイア島は、そのオケアノスの流れの西の果てに浮かんでいる島でした。

ゲリュオンはそこにたくさんの赤毛の牛を所有しており、エウリュティオンという牛飼いとオルトロスという犬に番をさせていました。オルトロスも二つの頭を持ち、尾は生きた蛇という恐ろしい怪物でした。

エリュテイア島を目指し、ヘラクレスは西へ西へと長い旅をしました。現在のジブラルタル海峡に来たところで、彼はこの旅の記念として、海峡の南北に向かいあってそびえる山の上に一本ずつ柱を立てました。これが有名なヘラクレスの柱で、現在ではそれぞれがジブラルタルとセウタの岩と呼ばれています。

大地の西の果てに着くと、ヘラクレスはエリュテイア島に渡るため太陽の神**ヘリオス**から黄金の杯を借りました。

実は、北アフリカの砂漠を旅していたときにヘラクレスは、日差しが激しく照りつけるのに腹を立て、弓で太陽を射ようとしました。

それを見たヘリオスは、ヘラクレスの勇ましさに感心し、「矢を射ることを止めるなら、オケアノスの流れを渡るときに自分の杯を貸してやろう」と約束していたのです。

太陽は世界中で起こるすべてのことを見て知っていましたから、ヘラクレスが何のために旅をしているかも当然承知していました。

ヘリオスは、いつかヘラクレスがオケアノスの流れを渡る日が来ることも知っていたのです。

こうしてエリュテイアに着いたヘラクレスは、まず番犬のオルトロスを棍棒で打ち殺し、牛飼いのエウリュティオンも倒して牛の群れを連れて行こうとしました。

しかし、海岸に行き着く前に異変に気づいたゲリュオンが追いかけてきました。

そこでヘラクレスは、この巨人を矢で射殺しました。そして、牛たちを黄金の杯に乗せてオケアノスを渡り、牛の群れを連れてスペインから南フランス、イタリアを通る長い長い旅をしました。

途中でいろいろな出来事があり、ギリシアに帰り着いたときには牛の数はかなり減っていましたが、残っていた牛はエウリュステウスに引き渡されました。

55 アトラスに代わり天を支えたヘラクレス

ゲリュオンの牛の群れを連れ帰ったことで、ヘラクレスはエウリュステウスに命じられた十の難業をやり遂げたことになりました。しかしすでにお話しした通り、エウリュステウスは「二つの仕事は十の難業に入れることはできない」と、彼に言い渡していました。

そのため、ヘラクレスはこの後さらに、エウリュステウスが命じる二つの難業に挑まねばならないことになりました。それはどちらも、できるはずがないと思われる難事中の難事でした。

最初に命じられた難事は、**ヘスペリデスの園からリンゴの実を取ってくる**ことでした。世界の西の果てにあり、人間が絶対に行くことができないこの楽園には、黄金の実のなるリンゴの木が生えていて、それをヘスペリデスという美しい三人姉妹のニンフが百の頭を持つ竜と一緒に守っていることは以前にお話ししました。

ヘラクレスはこのときまだ人間の英雄でしたから、ヘスペリデスの園へ行くことはどうしてもできませんでした。そこで彼は、世界の果てで天を支えている**アトラス**のところへ行き、相談を持ちかけました。

「私がしばらくのあいだ、あなたに代わって天を支えているから、その間にヘスペリデスの園へ行き、リンゴの実を取って来てくれないだろうか」

これを聞いたアトラスは、びっくり仰天しました。ヘラクレスがいくら力持ちでも、人間の身で自分に代わって天を支えることなどできるはずがないと思ったからです。しかし、ヘラクレスはなんと言われても諦めず、頼み続けました。

根負けしたアトラスは、試しにちょっとだけ彼に天を支える肩代わりをさせてみました。すると、彼は天空をびくとも動かさず支えたではありませんか！

それを見たアトラスは、一瞬も休まず果たしているこのつらい役目をしばらくヘラクレスに肩代わりさせてヘスペリデスの園へ行き、そこからリンゴの実を三つ持って来ました。

ヘラクレスはこうして手に入れたリンゴをエウリュステウスのところに持ち帰りました。するとそこに女神アテナが現われ「この実は人間が持つことを許されるものではありません」とエウリュステウスを叱りつけ、リンゴを彼から取り上げてもとの木に戻してしまいました。

これでヘラクレスが果たさねばならない仕事は、あと一つとなりました。「今度こそ、あの男が生きて帰れないようなことを命令してやらなければ」と思ったエウリュステウスは、なんと**「冥府の番犬ケルベロスを連れて来て私に見せろ」**という、とんでもない難業を彼に言いつけたのです。

56 不可能に思われた冥府への旅

「ケルベロスを冥府から連れて来てみせろ」と命じられたときには、さすがのヘラクレスも「自分の運命も、もはやこれまで」と思い、絶望しかけました。

なぜなら、生きた人間は冥府には行くことができない定めでしたから、ヘラクレスが冥府に行くためには死ななければならないと思われたからです。

しかし女神アテナが天から降りて来て、死なずに冥府に行く方法を教えてくれました。その教えに従い、彼はまずアッティカのエレウシスへ行き、農業の女神デメテルの神殿で密儀に参加しました。このエレウシスの密儀を受けることが、冥府に行くための準備になりました。

それから彼は、ラコニアのタナイロンという岬に行きました。そこには冥府まで続いている長い道の入り口があったため、ヘラクレスはその道を通り冥府まで行きました。この際、死者の魂を冥府まで連れて行くことを役目の一つにしているヘルメスが、ヘラクレスのためにその旅の道案内をしてくれました。

冥府に着いたヘラクレスは、死者の国の王ハデスに、

「ケルベロスを地上に連れて行き、エウリュステウスに見せることを許していただきたい」

と、願い出ました。この途方もない頼みを聞いてハデスはびっくり仰天しましたが、わざわざ冥府までやってきたヘラクレスに懐の深さを見せてやらなければと考え、無下に断ることはせず、こう答えました。

「何の武器も使わずにできるのなら、そうしてもよい」

この条件なら、ヘラクレスがケルベロスを連れて行くのを諦めるだろうと思ったのです。

ところがヘラクレスは、このハデスの返答を聞くやいなやケルベロスにつかみかかり、恐ろしい怪物の首を両腕で力いっぱい締めつけ始めたのです。

ケルベロスは犬の頭を三つ持っているうえ

に、体から無数の生きた蛇が生えていました。その無数の蛇に全身を噛《か》まれてもヘラクレスは怯《ひる》まず、首を締めつける力を緩めようとしませんでした。するとケルベロスもしまいには降参し、まるで飼犬のようにヘラクレスに従順になりました。こうしてヘラクレスはケルベロスを引いて地上に帰ることができたのです。

この怪物を見せられたエウリュステウスが胆を潰し、青銅の甕《かめ》のなかに逃げこんだことは言うまでもありません。そして甕のなかから、

「そんな恐ろしい化け物は、今すぐまたもとの冥府に連れて行ってくれ！」

と、必死に泣き叫んだので、ヘラクレスはケルベロスを冥府へ返しました。

こうしてヘラクレスはエウリュステウスに仕え、十二の難業を成し遂げることに成功しました。

これらの有名な難業の他にも、彼は実に多くの冒険をしました。そのなかでも最大の功績は、次にお話しする神々と巨人族との戦いで、彼が神々に味方して戦ったことでしょう。

57

神々の勝利に貢献したヘラクレス

巨人族がガイアによって産み出されたゼウスの敵だったことは前にお話ししました。巨人たちは神々と違って不死ではありませんでしたが、神々だけでは滅ぼすことができず、人間が神々に力を貸すことではじめて亡ぼすことができるように生まれついていました。

そのため神々は、巨人と戦って勝てる人間を味方にする必要がありました。ゼウスはそのことを以前から見通していたため、自分の子どものなかでもとくに武勇に優れたヘラクレスを生まれつき神にはせず、人間の英雄として誕生させたのです。

そして巨人族との戦いが始まると、ヘラクレスのことを助け続けていた女神アテナに命じ、神々の味方として呼び寄せました。

巨人族のなかでもとりわけ強力だったのは、**アルキュオネウス**、**ポルピュリオン**、そして**エピアルテス**でした。アルキュオネウスは自分が生まれた土地のパレネで戦っているときは、地面に体が触れるたびに力が増大するので不死身でした。アテナの助言によってそのことを知ったヘラクレスは、彼をパレネの外へ引きずり出して殺しました。

ポルピュリオンは、戦場でヘラと戦っているあいだに欲情し、彼女の衣を引き裂いて凌辱《りょうじょく》を加えようとしました。ヘラは悲鳴をあげて助けを求め、それを聞いたゼウスは雷を不埒《ふらち》な巨人に投げつけて妃《きさき》の貞操《ていそう》を守りました。しかし、この強敵の息の根を止めたのはヘラクレスの放った矢でした。

そして、エピアルテスはアポロンが左の目を、ヘラクレスが右の目を射て殺しました。

他の神々も、たとえばディオニュソスは霊杖を振り回し、ヘパイストスは溶鉱炉を投げつけるなど、それぞれが得意の持ち物を武器にし、またヘルメスは地下にいて戦いに参加できない冥王ハデスから、被ると姿が見えなくなる兜《かぶと》を借りてきて使うなど、思い思いのやり方で戦い、巨人たちを倒しました。

そして、その巨人たちにヘラクレスが次々に矢を射てとどめを刺しました。つまり、神々がこの戦いに勝ち、巨人たちを滅亡させることができたのは、ヘラクレスのおかげだったのです。

58 死の原因となったデイアネイラとの結婚

ヘラクレスはこの他にも数多くの冒険をしてきましたが、その話をいちいちしていたらキリがありません。そこでここからは、彼がどのようにして死を迎え、天に昇って神になったかを説明するために必要な出来事だけをかいつまんでお話ししておきます。

ケルベロスを地上に連れて来るため冥府まで旅をしたとき、ヘラクレスは死者の国で**メレアグロス**という有名な英雄の亡霊に出会っていました。

「冥府にいても**デイアネイラ**という可憐《かれん》な妹のことが気がかりでならない。地上に帰ったら、どうか彼女と結婚してやってもらいたい」

ヘラクレスはメレアグロスからこう頼まれ、承知していました。

このとき彼は、すでにメガラとの結婚を解消していました。彼女が産んだ子どもたちを狂って殺してしまったため、こんな不祥事のあった結婚を続けることはできないと考えたのです。そして、メガラは忠実な甥のイオラオスと結婚させていました。

エウリュステウスへの奉仕から解放されたヘラクレスはカリュドンへ行き、この国の王女だったデイアネイラに結婚を申し込みました。

実はそのとき、デイアネイラはアケロオスという川の神からも求婚されていました。牛や蛇などいろいろな不気味な姿をしてしつこく言い寄ってくるこの神と結婚する気にはなれませんでしたが、断ればアケロオスがカリュドンに害を及ぼすのではないかと心配で、デイアネイラはどう返事をしてよいかわからず途方に暮れていました。

そこで彼女は、ヘラクレスに言いました。

「アケロオス川の神を痛めつけ、私のことを諦めさせてもらいたい。もしそうしてくだされば、喜んであなたの妻になりましょう」

ヘラクレスはこの河神と格闘しましたが、いろいろなものに変身するため、ずいぶんと手こずりましたが、牡牛《おうし》になったところで角を一本折ることに成功し、降参させてデイアネイラのことを諦めさせました。

こうしてデイアネイラと結婚したヘラクレスは、しばらくカリュドンで暮らしたのち、オイタ山麓のトラキスという町に移住しました。

ところが、この旅のはじめにカリュドンの東を流れるエウエノス川を渡ろうとしたときに、とんでもない事件が起きました。

　事件は、この川の岸に住んでいた**ネッソス**というケンタウロスが引き起こしました。ネッソスはここで旅人から渡し賃をもらい、川の向こう岸まで運ぶ仕事をしていました。

59 ネッソスに騙されたデイアネイラ

ヘラクレスはネッソスに、妻のデイアネイラを向こう岸に渡らせるよう頼み、自分は一人で川を渡ることにしました。

ところが先に向こう岸に着いたネッソスは、ケンタウロスの野蛮で好色な性質をむき出しにし、突然デイアネイラに襲いかかって凌辱《りょうじょく》を加えようとしたのです。

妻の悲鳴を聞いたヘラクレスは、すぐに川のなかから矢を放ってネッソスを射殺しました。すると、ネッソスは息を引き取る直前、デイアネイラに向かってこう言ったのです。

「私の傷から流れた血を大切に集めて取っておきなさい。それはとても強力な媚薬《びやく》で、もしヘラクレスが他の女に心を移すことがあったら、それを塗った肌着をあの男に着せなさい。そうすれば、彼の愛を取り戻すことができるでしょう」

素直なデイアネイラはこのネッソスの言葉を信じ、血を集めて大切に保存しておきました。ところが、この血は媚薬ではなく強力な猛毒でした。

ヒュドラを退治した後、ヘラクレスがこの蛇の胆の血に矢尻を浸し、自分の矢を毒矢にしたことは前にお話しした通りです。ヘラクレスの矢で射られた傷口から流れたネッソスの血には、このヒュドラの猛毒が含まれていたのです。

その後、ヘラクレスはオイカリアという町を攻略しました。この町の王エウリュトスには**イオレ**という美しい娘がいました。実は、ヘラクレスはデイアネイラを妻にする前に、このイオレに求婚したことがありました。

当時、エウリュトス王は「弓の競技で自分と自分の息子たちを負かした者にイオレを妻に与える」と公言していました。

それを知ったヘラクレスはオイカリアへ行き、王と王子たちを難なく弓で負かしました。ところがエウリュトス王は約束を破り、イオレをヘラクレスに嫁《とつ》がせることを拒否したのです。

それは、ヘラクレスがメガラの産んだ自分の子どもたちをみな殺しにしたことを知っていたからでした。「そんな男と自分の娘を結婚させるわけにはいかない」と思ったのです。

ヘラクレスがオイカリアを攻め滅ぼしたのは、このときの恨みを晴らすためでした。

彼はエウリュトスと彼の息子たちを殺し、イオレを捕虜にしました。そして、長年の思いが叶《かな》ってようやく自分のものになったこの美女を夢中で寵愛《ちょうあい》しました。

そのことを伝え聞いたデイアネイラは「今こそネッソスが残した媚薬を使うときだ」と思いました。そして、隠し持っていたネッソスの血を彼の下着に塗り、それをヘラクレスのところに届けさせたのです。

グイド・レーニ『ケンタウロスのネッソスに誘拐されるデイアネイラ』
ルーヴル美術館蔵（フランス）

60 昇天して神になったヘラクレス

「あなたがオイカリアであげた輝かしい勝利を祝うために」という伝言とともにデイアネイラから届けられた下着を、ヘラクレスは何も疑わずに喜んで身につけました。すると、体温で暖められたヒュドラの毒が次第に体に浸透し始め、猛烈な苦しみに苛《さいな》まれました。

苦悶《くもん》しながら下着を剥《は》ぎ取ろうとしましたが、すでに肌に張り付いており、肉まで一緒にむしり取られてしまいました。ヘラクレスは苦しみながらも部下に、「自分のことをトラキスまで船で運ぶように」と命じました。

しかし、彼が家に着いたとき、デイアネイラはすでに自害していました。自分の過ちを、一足早く戻った使者の報告によって知らされたためでした。

それから彼は、**オイタ山**の頂上に自分を運ばせ、そこに火葬のための薪の山を築かせました。そしてその上に身を横たえ、薪に火をつけさせました。すると、彼が母のアルクメネから受けていた可死の肉体はその火で焼き尽くされ、父のゼウスから受け継いだ不死の神ヘラクレスの部分が人間の部分から完全に解放されました。

やがて山頂が雲に包まれ、雷鳴の轟《とどろ》きと稲妻の光のなかを馬車が降りて来ました。ヘラクレスはアテナが御者《ぎょしゃ》の役を務めるその馬車に武装した姿で乗り込み、彼が人間でいたあいだ、いつも見守り助けてくれたこの女神に導かれて天に昇りました。

天上では、オリュンポスの神々たちが揃《そろ》ってヘラクレスを出迎え、彼は神々の仲間入りをしました。

ゼウスは彼をオリュンポスの十二神の一人にしようとしましたが、ヘラクレスは、

「自分がそうなるために十二神の誰かが、すでに得ている栄誉を失うことになる。私はそれを望まない」

と言い、彼らとは別格の神にされることを選びました。

「神となったヘラクレスと完全な仲直りをして母と子の縁を結び、以後は彼を息子として愛すのだ」

人間だったヘラクレスに憎悪を燃やし、彼にあらゆる苦しみを与え続けてきたヘラに、ゼウスはこう命じました。

そこでヘラは寝台に横になり、ヘラクレスの体を自分の体に引き寄せると、着てい

た衣を通り抜けさせて彼を地面に落下させました。この出産を真似た奇妙な儀式で、ヘラはヘラクレスのことを自分が腹を痛めた息子と同然としたのです。

このようにしてヘラクレスを自分の息子にしたヘラは、自分の娘でオリュンポスの女神たちのなかでも飛び抜けて美女だった青春の女神**ヘベ**を彼に娶《めと》らせました。

ヤーコポ・ティントレット『天の川の起源』
ロンドン・ナショナルギャラリー蔵（イギリス）

ゼウスの正妻ヘラの復讐に怯えるアルクメネは、母乳が出なくなってしまう。そこでゼウスは、赤児のヘラクレスを飢えさせまいと、ヘラを眠らせ、彼女の「不死の乳」を飲ませることにした。ところが、赤児はあまりにも強い力で乳を吸ったため、ヘラはその痛さに目を覚まし、赤児を払いのけた。しかし、ヘラクレスはヘラの乳を飲んだことによって、不死の身となり、またそのとき迸り出たヘラの乳が天の川になったといわれている。天の川のことを「ミルクの道（Milky Way）と呼ぶのはそのためである。

第5章

人間の始まりと英雄たちの種族

61

黄金と銀と青銅の種族たち

クロノスが王としてティタンたちと一緒に世界を支配していた時代、地上にはすでに最古の人間が暮らしていました。**黄金の種族**と呼ばれるこの人間たちは、神々とは違って不死ではありませんでした。つまり、神々と人間の根本的な違いは、この時代にすでにあったということです。

しかしその他の点では、この黄金の種族は現在の人間よりずっと神々に似た幸せな暮らしをしていました。なぜなら、彼らは不死ではなかったものの、老いることがなく、病気もその他の苦しみや悲しみも一切知らなかったためです。

そのうえ彼らにとって必要なものは、何でも大地があり余るほど自然に与えてくれました。そのため、彼らは今の人間と違って働く必要がなく、天上の神々と同じように、いつも宴会を楽しみながら暮らしていました。

そして、神々のような幸せな暮らしを若いまま楽しんだ末、彼らは私たちが眠りにつくのと同じように安らかに死に、地上からいなくなりました。

この後、ゼウスは**銀の種族**と**青銅の種族**を発生させました。しかし、彼らは黄金の種族よりずっと劣っていました。

まず銀の種族は成長の速度が異常に遅く、若者になるまで百年もかかりました。そのうえに彼らは敬虔《けいけん》でなく、神々を祭ったり拝むことをまったくしませんでした。そのため、彼らは怒ったゼウスによって滅ぼされてしまいました。

その後に発生した青銅の種族は、生まれつき狂暴で怪力の戦士たちでした。そして、闘うこと以外には何の興味も持たず、ただ戦争だけを繰り返して暮らしていました。

銀の種族と青銅の種族はどちらも現在の人間とはまだ非常に異なっていて、人間なのか神なのかはっきりしないところがありました。つまり、これら三つの種族が生きていた時代には、神と人間の区別が今ほどはっきりしていなかったということです。

ゼウスは彼の支配する世界に秩序（コスモス）をもたらすため、最も肝心な神々と人間の区別を、このように曖昧なままにしておくことはできないと考えました。そのため、神々と人間にそれぞれの運命の違いを定め、両者の区別をはっきりすることにしたのです。

62 ゼウスを騙そうとしたプロメテウス

ゼウスがそれまで曖昧だった神々と人間の違いを明確にし、両者の区別をはっきりしようとしたとき、**プロメテウス**という神が「その役は、どうか自分にやらせてほしい」と申し出ました。

プロメテウスの父は、ティタン神族の一人イアペトスでした。つまり、世界の西の果てで天空を支え続けている怪力の巨人アトラスと、このプロメテウスは兄弟だったのです。

しかし彼は、父や兄と違い、ティタンたちとの戦いでゼウスに味方しました。それは、彼が神々のなかでも並外れた知恵者で先見の明を持ち、あの戦争で最後に勝つのはゼウスだということを見通していたからです。

とはいうものの、彼はゼウスに心服していたわけではありませんでした。父や兄たちのように力に頼り、ゼウスと勝ち目のない戦争をするのではなく、自慢の知恵を使い、いつかゼウスに一泡ふかせてやろうと考えていました。

そしてゼウスに、自分を信頼できる友だと思い込ませるため、あらゆる努力をしながらその機会が来るのを虎視眈眈《こしたんたん》と狙っていたのです。

ゼウスが自らの世界支配の計画の肝心な第一歩として、神と人間の区別をはっきり定めようとしたとき、プロメテウスは「今こそ自分が待っていたゼウスの鼻を明かす絶好の機会だ」と信じ、その役目を進んで買って出たのです。

ゼウスが彼の申し出を承知すると、プロメテウスは巨大な牛を屠殺《とさつ》して二つに分け、ゼウスにこう言いました。

「私が分けた牛の一方の部分を神々の取り分にし、もう一方を人間の取り分にすれば、これまで曖昧だった神々と人間の違いがはっきりしたものになると思います。そのため、どちらを神々の取り分にするか、どうかお決めになってください」

ギリシア語で「部分」や「取り分」という

どっちになさい
ますか？
胃袋に隠した肉
脂肪で包んだ骨

意味の言葉を「**モイラ**」といいます。そして、運命の三女神がモイライ（モイラたち）と呼ばれていることからもわかる通り、モイラは運命を意味する言葉でもあります。

この世界では、それぞれの者には持つことができ、守らねばならない〝取り分〟が定められていて、その取り分を担うことを免れることは決してできません。それぞれの者に割り当てられていて変更の許されない「**取り分**（モイラ）」というのは、つまり、その者の不可避の「**運命**（モイラ）」でもあるわけです。

プロメテウスは牛を二つに分けることで、そのうちの一方を神々の「運命（モイラ）」である「取り分（モイラ）」に、もう一方を人間の「モイラ（取り分＝運命）」にすることにし、神々のモイラをどちらにするかの選択をゼウスに迫ったわけです。

63 ゼウスに見破られていたプロメテウスの企み

プロメテウスはこのとき、ゼウスをペテンにかけて痛い目にあわせてやろうと考えていました。そのため牛を二つに分けるときにあらん限りの知恵を使い、巧妙な企みをしかけていました。

彼は解体した牛を二分する際、一方に**牛の肉と内臓**を集めました。そして、彼はこの美味しい部位を、食べられない牛の皮で包んで隠したうえ、牛の胃袋のなかに詰め込みました。もう一方には食べられない**牛の骨**が集められていましたが、プロメテウスはその骨をいかにも大切なもののようにきちんと積み上げ、美味しそうに見えるよう、牛の脂肪で覆い隠しました。

「こうすれば、ゼウスは必ず美味しそうな脂肪の外見に欺《あざむ》かれ、何の役にも立たない骨のほうを神々の取り分に選ぶに違いない。そうすれば、胃袋のなかの肉と内臓だけでなく、いろいろな用途に使えて便利な皮まですっかり人間のものになる。これで、すべての良いものを神々が独占し、人間にはそれとはっきり違う悪い運命を定めようとしているゼウスの計画は完全にあべこべになるわけだ」

プロメテウスはこう考えていましたが、ゼウスは騙《だま》されませんでした。そして、

「お前は私にとって大切な友人で、しかも大した知恵者だ。私が望んでいた通り、不公平な配分をしてくれたな」

と言ったのです。

これを聞くと、プロメテウスがゼウスの信頼に応え、お膳立てをしてくれたと言って満足しているように聞こえますが、ゼウスは騙されたふりをしていただけで、プロメテウスの企みを完全に見破っていたのです。つまり、ゼウスはプロメテウスが胃袋のなかに何を入れ、白い脂肪の下に何を隠したかをちゃんと知っていたのです。

ところがゼウスは、プロメテウスが騙して選ばせようとしていた、脂肪に覆われた骨のほうを指し「こちらを神々の取り分に定める」と宣言しました。

人間はこのときから、牛を神々への供物《くもつ》として犠牲式を行って殺した後、肉と内臓だけではなく、皮や胃袋まで自由に利用してよいことになりました。

そして神々のためには、牛の骨を脂肪と一緒に祭壇の上で燃やし、芳《かんば》しい煙が天上に届けばよいことになったのです。

64

供犠によって確認されることになった神と人間の区別

人間はずいぶんと得をしたように思えますが、実はそうではありませんでした。ゼウスが脂肪に覆い隠されていた牛の骨を神々の取り分に選んだのは、もともと神々に割り当てようと彼が予定していたものだったからです。

そして、人間の取り分に決まった肉と内臓も、ゼウスがもともと人間に割り当てるつもりでいた部位で、彼らの運命を表わすのにこれ以上ないと思われるほど相応《ふさわ》しいものでした。

なぜなら、骨は牛が死んでも**いつまでも朽ちも腐りもせずに残る不滅の部分**で、肉と内臓はその反対に牛が死ねばたちまち腐敗してひどい悪臭を放ち、すぐに朽ちてなくなってしまいます。

だから、骨は不死で不滅の神々の運命を表わすのに相応しい唯一の部分で、肉と内臓は短い時間しか生きられず、たちまち腐って朽ちてしまう人間の儚《はかな》い運命を表わすのに相応しい部位だったのです。

そのうえ、供犠の儀式をするたびに人間は朽ちも腐りもしない牛の骨を祭壇の上で燃やし、火で浄化して芳《かんば》しい煙にして天に立ち昇らせることで、それを受け取る神々が天上にいる清らかな霊的存在であることを、その都度改めてはっきりと思い知らされます。

その一方、朽ちて腐る牛の肉と内臓を自分たちの胃袋に入れることで、人間は自分たちが地上に縛りつけられている汚れた肉の固まりで、やがては死んで朽ちてしまわなければならない運命を負わされていることを思い知らされるのです。

脂肪に隠されていた骨のほうを神々の取り分として選ばせたことで、プロメテウスはこの供犠の儀式のやり方を定めたわけです。プロメテウスは神々に良い運命を定め、人間には悪い運命を定めようとしていたゼウスの計画を狂わせることができたと信じていました。

しかし実際には、プロメテウスの企みがゼウスの計画のためにまんまと利用されただけでした。プロメテウスは結局、ゼウスが予定していた通りの運命の違いを神々と人間のあいだに定めるため、都合のよいお膳立てを整えることになったのです。

とはいうものの、ゼウスは最高神の自分をペテンにかけようとしたプロメテウスの企みに腹を立てていました。

そのため、プロメテウスが良い運命を与えようとした人間の運命をいっそう過酷にすることで、その企みに手厳しい報復を加えました。

65

人間を罰するために造られた女

人間の運命を過酷なものにするため、ゼウスはまず、それまで大地がいくらでも与えてくれていた、人間の生活に必要なものを自然には手に入らなくしました。つまり、人間はつらい労働によって大地を耕して作物を生産し、その他の物も労苦して手に入れなければ生きていけない運命を持つことになったのです。

さらにゼウスは、それまで人間が自由に使っていた**火**を取り上げ、天上に持ち去ってしまいました。

人間たちはすっかり困り果て、どうすればよいかわからず途方に暮れることになりました。火が使えなければ、人間は動物のなかで最も無力な存在だからです。しかし、人間にとって絶望的だったこの状態はそれほど長くは続きませんでした。プロメテウスが人間のため、天上から火を盗んできてくれたからです。

火を盗む際、プロメテウスは大茴香《おおういきょう》という植物を巧みに利用しました。この植物の茎には湿った緑色の外皮のなかに乾いた芯が詰まっています。プロメテウスはその茎を切って一方の端に火をつけました。火は茎の内部で長い時間燃え続けますが、その茎を外から見てもなかの芯が燃えていることはわかりません。プロメテウスは、この巧妙なやり方でゼウスの目を欺《あざむ》き、火を地上に持っていき人間に与えることに成功しました。

プロメテウスが火を天から盗み出し、人間に与えたことを知ったゼウスは激怒しました。そして、プロメテウスにこう言いました。

「お前は今度こそ自慢の知恵を働かせて私を騙《だま》し、人間に良いものを与えて私の計画を狂わせたと思って悦に入っていることだろう。しかし、それはとんでもない思い違いだ。人間はやがてお前から受けた恩恵を、喜ぶ代わりに悔やむようになるだろう。お前の盗みによって手に入れた良いものの代償に、人間はそれを帳消しにするひどい災いを私から贈り物として受け取らねばならなくなるからだ。しかも、彼らはその災いから免れることはできない。なぜなら、たとえ災いであっても、彼らはそれを避けようとはせず、大喜びでもらい受けて腕に抱いて愛するからだ」

それからゼウスはすべての神々に「みんなで協力して人間の女を造れ」と命じました。つまり、このときまで人間は、男女の区別を知らずに男だけで暮らしていたのです。

このゼウスの命により、人間の女がはじめて造られました。そしてそれは、火を手に入れた代償に人間が持たなければならない災いだったのです。

ジャン・クーザン『エヴァ・プリマ・パンドラ』
ルーヴル美術館蔵（フランス）

66

パンドラが蓋を開けた甕の中身

ゼウスはまず、どんな不思議なものでもこしらえることのできる技術の神へパイストスに、土と水をこね合わせて不死の女神とそっくりな美しく愛らしい乙女の体を造らせました。そして美と愛の女神アフロディテに命じて、その乙女の体に、男を夢中にし、狂わせて骨抜きにしてしまう女の魅力をたっぷりふりかけさせました。

さらに機織《はたお》りの女神でもあるアテナには、この乙女に機織りの技術を教えさせました。それでこの乙女はさまざまな衣裳《いしょう》を織り、もともと魅力的に造られている自分の体を、よりいっそう魅力たっぷりに見せられるようになりました。

ゼウスは最後の仕上げとしてヘルメスに命じ、彼が持つ泥棒と恥知らずな嘘《うそ》つきの性質をこの乙女の内部にたっぷり注入させました。

こうして人間の女ができあがると、女神たちがみんなで衣裳を着せ、冠や首飾り、その他のアクセサリーを着けて花嫁の姿に仕立て上げました。

「すべての神々が協力して造りあげた人間への贈り物だから、この女は**パンドラ**と呼ぶことにしよう」

とヘルメスが言うと、他の神々も賛成しました。古代ギリシア語で「パン」は「すべて」、「ドラ」は「贈り物」という意味でした。

「パンドラを、ゼウスからの贈り物の花嫁だと言い、プロメテウスの弟**エピメテウス**のところへ連れて行け」

と、ゼウスはヘルメスに命じました。

エピメテウスは知恵者のプロメテウスとは正反対の愚か者でした。プロメテウスは彼に「ゼウスが何か贈り物をよこしても、決して受け取ってはならない」と忠告していました。

しかし、エピメテウスはパンドラの美しさに目がくらみ、兄の忠告など忘れてしまいました。そして、大喜びで彼女を花嫁にしました。

エピメテウスと一緒に暮らすようになったパンドラは、家のなかに厳重に蓋のされた大きな甕《かめ》があることに気づきました。

「あの甕のなかに、夫は何を大事そうにしまっているのかしら」

と考え始めると、甕のなかが見たくてたまらなくなりました。そしてエピメテウスが留守にすると、泥棒の性質に駆り立てられ、なかに入っているものを貪《むさぼ》ろうとして重い蓋を苦労して取り外しました。

ところが、甕のなかにはパンドラが期待したような良いものは何ひとつとして入っていませんでした。なかにいっぱい詰め込まれていたのは、人間の苦しみと死の原因になる、病気やその他のあらゆる種類の災いだったのです。

67 女の種族の発生とプロメテウスが受けた罰

パンドラがこの甕《かめ》の蓋を開けるまで、人間は災いに苦しめられることがありませんでした。災いは甕のなかに封じこめられていたため、外に出て害をなすことがなかったのです。

パンドラが蓋を開けると、甕のなかに押し込められていた災いはいっせいに外へ飛び出し、たちまち世界中に満ちあふれました。災いは人間の目に見えず、声も聞こえません。このときから人間は、姿は見えず声も聞こえないが、いつ襲いかかって来るのかわからない災いに、絶えず脅かされ苦しめられながら生きなければならないことになったのです。

パンドラが慌てて蓋を閉めたとき、甕のなかに一つだけ残っているものがありました。それは**希望**でした。おかげで人間は、外から訪れる災いにどんなに苦しめられても、心のなかにいつも希望を持って生きられることになりました。

希望に慰められ励まされるおかげで、人間はつらい人生をなんとか絶望せずに最後まで生き通せるのです。

エピメテウスがゼウスからパンドラという花嫁をもらったことは、別の点でも人間の運命に重大な変化をもたらしました。パンドラから女性の種族が発生し、これ以降、人間の男は女性と結婚し、妻にしたその女性を養わなければ子孫を残すことができなくなったのです。

このように、ゼウスはプロメテウスの企みを利用しながら人間の運命を思い通りに定めました。そして、それまで曖昧なところがあった神と人間の違いをはっきりさせたのです。

そのうえでゼウスは、プロメテウスに惨《むご》たらしい罰を与えました。高い柱のまん中に鎖で身動きができないよう縛りつけ、昼のあいだだけ肝臓を大鷲《おおわし》に食わせることにしたのです。

プロメテウスは不死の神のため、肝臓も不死でした。そのため、夜になって鷲が巣に帰

ると、朝までにもと通りに回復します。そのため、プロメテウスは生きながら鷲に肝臓を食われる苦しみを、来る日も来る日も味わい続けることになりました。

しかし、この刑罰も永遠に続いたわけではありません。なぜなら、ヘラクレスが難業を果たすため世界を遍歴していたとき、この処刑場を通りかかったからです。

ヘラクレスは鷲を射殺し、プロメテウスの苦しみを終わらせてやりました。ゼウスは自分の大切な息子が、また一つめざましい功業をあげたことに満足し、プロメテウスを罰から解放し、仲直りをして神々の仲間に復帰させてやりました。

ピーテル・パウル・ルーベンスとフランス・スナイデルス
『縛られたプロメテウス』フィラデルフィア美術館蔵（アメリカ）

68

大洪水から生き残ったデウカリオンとピュラ

エピメテウスとパンドラのあいだには**ピュラ**という娘が生まれ、彼女はプロメテウスの息子の**デウカリオン**と結婚しました。

デウカリオンとピュラは二人とも品行方正で敬虔《けいけん》な人間でした。それを見たゼウスは、この二人から新しい人間の種族を発生させることにしました。

なぜなら、ゼウスは当時地上にいた青銅の種族たちが狂暴で、殺し合いばかりしていることに愛想をつかしていたためでした。彼らを地上から一掃し、代わりにもっと正しい別の種族を生じさせようと考えたのです。

そのため、ゼウスは車軸を流すような大雨を降らせ、ポセイドンにも猛烈な地震と津波を起こさせ、陸地をすっかり水の底に沈めてしまいました。

デウカリオンとピュラだけは、この大洪水が起こることをあらかじめ知らされており、彼らは教えられた通りに頑丈な**箱船**を造り、そのなかに必需品を積みこんでいました。そして、箱船に避難したデウカリオンとピュラ以外の人間がすべて溺れ死んだのを見届けると、ゼウスは雨を降らせるのを止め、ポセイドンも海水を陸から引き上げました。

デウカリオンとピュラは箱船に乗ったまま、九日九夜水の上を漂った末、パルナッソス山の山腹に漂着しました。そこはのちに、デルポイの神託所が建てられる場所でした。

彼らはそこで箱船から降り、ゼウスに犠牲を捧げました。するとゼウスはヘルメスを通じ、「何でも一つ願いを叶《かな》えてやろう」と彼らに伝えました。

「人間が自分と妻だけになってしまい寂しいので、どうか人間たちの仲間をお与えください」

デウカリオンがお願いをすると、ゼウスは次のような託宣《たくせん》を与えました。

「母親の骨を拾い集め、歩きながら背後に投げれば人間が得られる」

それを聞いたピュラは、

「母の墓から骨を取り出して投げることなど、たとえゼウス様の命令でも自分にはできない」

と言って泣き出しました。しかし、プロメテウスの資質を受け継いだ知恵者だったデウカリオンは、しばらく考えた末にこう言いました。

「ゼウス様のおっしゃる母というのは、万物の母である大地で、母の骨というのは大地の骨組の岩石に違いない。ゼウス様は私たちに、石を拾って投げるよう命じられたのだ」

彼らが石を拾い集め、歩きながら肩越しに背後に投げてみると、地面に落ちた途端、人間に変わりました。そして、デウカリオンが投げた石は男になり、ピュラが投げた石は女になったのです。

69 四番目の種族として発生した英雄たち

ゼウスはこのようにして青銅の種族を大洪水で亡ぼした後、二人だけ生き残ったデウカリオンとピュラから新しい人間の種族を生じさせました。それが、四番目に地上に発生した**英雄の種族**です。

デウカリオンとピュラのあいだにはヘレンという息子が生まれ、ギリシア人の祖先となりました。それで古代ギリシア人はこの祖先の名にちなみ、自分たちのことをヘレネス（ヘレンたち）と言うようになりました。

英雄の種族は、鉄の種族と呼ばれる五番目の種族である現在の人間たちと血が繋《つな》がっている直接の先祖です。

つまり、我々五番目の種族というのは、その前にあった黄金と銀、銀と青銅、青銅と英雄の種族の関係のように、前の種族を完全に滅した後に次の種族をゼロから作るというやり方で誕生したわけではありませんでした。

英雄の種族が発生するより前に、神々と人間の運命の違いははっきり定められました。つまり英雄の種族の時代には、神々と人間のあいだに、現在あるのと同じ区別がつけられていたということです。

それにもかかわらず、英雄の種族は現在の人間とは別の種族だとはっきりわかるほど優れた人たちでした。

神々との関係も、混同することは決して許されませんでしたが、今よりずっと親密でした。そのため英雄の種族の時代には、男の神が人間の女を愛して子を産ませたり、女神が人間の男と関係を持って子を産むようなことが起きても、それほど不思議ではありませんでした。

このようにして生まれた神を片親に持つ英雄たちこそ、英雄の種族の花形でした。彼らは人間ではありえない超人的な武勇と能力を持ち、さまざまな不思議な冒険を成し遂げ、多くの輝かしい偉業を達成しました。

しかし、たとえ片親が神であっても、これらの英雄たちは決して神ではなく、あくまでも人間でした。そのことを忘れ、自分と神との違いを無視することは、彼らにも許されませんでした。

これから取り上げる物語のなかには、ギリシア神話の名高い英雄たちが出てきます。

彼らはみな、現在の鉄の種族に取って代わられ地上から姿を消したとされている英雄の種族に属する人々です。

アンドレア・デル・ミンガ『デウカリオンとピュラ』
ヴェッキオ宮殿蔵（イタリア）

第6章

ペルセウスとカドモス

70 母と一緒に海に流された赤児

ペルセウスの母は、**ダナエ**というアルゴスの王女でした。ダナエは父のアクリシオス王が「ダナエの産む子に殺される」という神託を受けたため、男と交わることがないように地下の青銅の部屋に閉じ込められていました。

ところが、彼女の美しさに目をつけたゼウスが黄金の雨に姿を変え、屋根の隙間からダナエの膝の上に降り注ぎ、ペルセウスを妊娠させてしまいました。

泣き声で子どもが産まれたことに気づいたアクリシオスは、ダナエとペルセウスを木の箱に入れて海に流しました。

その箱は波に運ばれてセリポス島に漂着し、ディクテュスという親切な漁師の網にかかりました。ディクテュスはセリポスの王ポリュデクテスの弟で、彼は箱のなかからダナエとペルセウスを助け出しました。そして、ペルセウスはこのディクテュスの庇護《ひご》を受け、強くたくましい若者に成長しました。

ところで、ポリュデクテス王はディクテュスとはまるで気質の違う暴君でした。そのポリュデクテス王が弟の家にいるダナエを見初め、執拗《しつよう》に結婚を迫るようになりました。そうすると、いつもダナエの側にいて母を守ろうとするペルセウスの存在が疎《うと》ましくなり、なんとか彼を排除したいと考えるようになりました。

あるとき王は、島の名士と共にペルセウスを招いて宴会を開き、集まった客たち全員に、馬を一頭ずつ贈るよう求めました。

ペルセウスは王に貢物できるような馬を持っていませんでした。そこで、

「私にはその要求を果たすことはできません。だが、もし王がそうせよと命令されるのであれば、**ゴルゴン**の首を取って来ましょう」

とうっかり広言を吐いてしまいました。

するとポリュデクテスは、それを真に受け、

「それならゴルゴンの首を取って来てもらおうではないか」と言いました。

ゴルゴンは世界の西の果てにいる世にも不

気味な怪物でした。彼女たちは三姉妹（**ステンノ**、**エウリュアレ**、**メドゥサ**）で、髪は生きた蛇、体は竜の鱗《うろこ》で覆われ、口からは猪《いのしし》のような牙が生え、手は青銅でできていて黄金の翼を持って空を飛ぶことができました。そして、見る者を石にしてしまう恐ろしい力を持っていました。

三姉妹のうち姉の二人は不死で、殺すことができるのはメドゥサという末の妹だけでした。しかし、そのメドゥサの首を取って来ると言っても、そもそもゴルゴンたちのいる場所を知っている者すらいませんでした。

そのためペルセウスも、ゴルゴンの首を取って来るためにいったい何をすればよいのかいっこうにわからず、自分が軽はずみに口にしたことを後悔しながらただ困惑するばかりでした。

レンブラント・ファン・レイン『ダナエ』
エルミタージュ美術館蔵（ロシア）

71 ゴルゴン退治

ペルセウスが困り果てていると、目の前に二人の神が現われました。一人は優れた英雄が手柄をあげるのを助けることを自分の役目と考えている女神アテナで、もう一人はヘルメスでした。

ヘルメスはメドゥサの首を取るために役に立つ、空を飛ぶことのできるサンダルとどんな硬いものでも刈り取れる鋭利な刃のついた鎌を貸してくれたうえに、被ると姿の見えなくなる隠身の兜《かぶと》を、冥府の王ハデスから借りてきて彼に渡してくれました。

アテナは彼のことを、ゴルゴンたちの姉でやはり三姉妹の**グライアイ**のところへ連れて行ってくれました。ゴルゴンたちのいる場所に行く道を知っているのは、彼女たちだけでした。

グライアイは生まれつき醜い老婆の姿をした不気味な妖怪で、三人でたった一つの目と歯しか持っていなかったため、それを交替で使って生活をしていました。

ペルセウスは隠身の兜を被って彼女たちに近寄り、一人が別の一人に目を渡そうとしたときにその目を取り上げ、それを返す代わりにゴルゴンたちのところへ行く道を聞き出しました。

　さらに、メドゥサの首を入れるためのキビシスという袋を持っているニンフ（自然界に宿る女性の精霊）のいる場所を、やはりグライアイたちから聞き出して手に入れました。

　ペルセウスがゴルゴンたちの居場所に着いたとき、彼女たちは眠っていました。ペルセウスは隠身の兜を被り、ヘルメスから借りたサンダルで空を飛びながらメドゥサに近づきました。

　しかし、ゴルゴンたちの姿を直接見れば石になってしまいます。そこで、アテナが鏡のように磨きあげられた楯《たて》を差し出してくれました。ペルセウスはその楯に映った姿を見ながらヘルメスの貸してくれた鎌でメドゥサの首を切り取り、キビシスのなかに収めました。

すると、メドゥサの首の傷口から空を飛ぶ天馬**ペガソス**と、**クリュサオル**という人間の男の姿をした子が黄金の剣を手に持って飛び出してきました。なんとポセイドンが世にも奇怪な姿をしたメドゥサを愛人にし、これらの子どもたちを彼女に懐妊させていたのです。

やがてメドゥサの二人の姉たちが目を覚まし、妹が殺されたことに気づいて空を飛び回り、犯人を必死に捜し回りました。しかし、ペルセウスは隠身の兜を着用していたため彼女たちに見つかることはなく、無事に逃げることができました。

ジャン=マルク・ナティエ
『メドゥーサの首を見せてフィネウスを石に変えるペルセウス』
トゥール美術館蔵（フランス）

72 アンドロメダを妻にしたペルセウス

キビシスに入れたメドゥサの頭を持ち、セリポス島を目指して空を飛んでいる途中で、ペルセウスは美しい乙女が海辺の岩に縛りつけられているのを見つけました。そこはちょうどエチオピアの上空で、**アンドロメダ**という王女が海から来る怪獣の餌食《えじき》にされようとしていたところでした。

アンドロメダの母**カッシオペイア**は容色自慢で、「海の女神ネレイデスたちのなかにも、自分以上の器量の者はいない」と公言していました。その言葉に怒ったポセイドンは洪水を起こし、「この災いを終わらせるためにはアンドロメダを怪獣に捧げねばならない」と託宣《たくせん》したのです。

経緯を知ったペルセウスは、アンドロメダの父でエチオピア王ケペウスに「私が怪獣を退治するので、王女を妻にもらいたい」と言い、それを承知させました。そして海から出てきた怪獣を仕留め、助けたアンドロメダを王宮に連れ帰りました。

すると、アンドロメダと婚約していたピネウスというケペウス王の弟が、彼女とペルセウスの結婚に異を唱え、攻撃をしかけてきました。

ペルセウスは味方の者たちに「目をそらせ！」と言い、メドゥサの頭をキビシスから取り出しました。すると、ペルセウスを襲おうとして押し寄せてきた敵たちは、みな石に変わってしまいました。

妻となったアンドロメダを連れ、セリポス島に帰ってみると、ポリュデクテス王の求婚にたまりかねたダナエが、自分を庇護《ひご》してくれているディクテュスと一緒にゼウスの祭壇にすがり、そのまわりをポリュデクテスが家来たちと取り囲んでいるところでした。

怒ったペルセウスは再びメドゥサの頭をキビシスから取り出し、ポリュデクテスと家来たちを石に変えてしまいました。

ディクテュスを島の王にしたペルセウスは、冒険に使ったサンダルと鎌、キビシスと隠身の兜《かぶと》をヘルメスに返しました。

キビシスと兜はヘルメスから元の持ち主に返却され、メドゥサの頭はアテナに献上されて女神の楯《たて》のまん中に取り付けられました。

この後、ペルセウスは母と妻を連れて故郷のアルゴスに戻りましたが、祖父のアクリシオス王はすでに逃亡していました。

ある日、ペルセウスはテッサリアのラリッサへ行き、競技会に参加しました。ペルセウスが力を込めて円盤を投げると、飛んでいく方向が変わり、この町に亡命していたアクリシオスに当たり、彼は絶命してしまいました。つまり、この王が受けていた「ダナエの子に殺される」という神託が現実のものとなったわけです。

この後、ペルセウスは誤って死なせてしまった祖父の王位は継がず、ティリュンスの王となり、ヘラクレスなど大勢の英雄たちの祖先になりました。

ベンヴェヌート・チェッリーニ『ペルセウス』
ウフィツィ美術館蔵（イタリア）

73 牛に導かれたカドモス

テバイを創建してこの市の最初の王になったのは**カドモス**でした。彼はアゲノルというフェニキア王の子どもでした。アゲノルにはカドモスの他に二人の息子と、**エウロペ**という名の美しい末娘がいました。

ところが、ゼウスがそのエウロペの美貌に目をつけ、愛人にしようとしたのです。ゼウスは彼女が海岸にいるときに、まっ白な美しい牡牛《おうし》に姿を変えて近づきました。そして、エウロペがこの牛に心を許してその背中に乗ると、海原を渡って彼女をクレタ島までさらっていきました。ゼウスはそこでエウロペに、神話のなかでクレタ島の王として活躍するミノスを惣領《そうりょう》とする三人の息子を産ませました。

エウロペが突然行方不明になると、この末娘を目のなかへ入れても痛くないほど可愛がっていたアゲノルは逆上しました。そして三人の息子たちに「妹を見つけないうちは決して帰国してはならない」という厳命を与え、エウロペの捜索に派遣しました。

このような理由で故国を離れたカドモスは、トラキアでエウロペを捜したのちにギリシアを訪れました。そして、デルポイでアポロンの神託に「どうすればエウロペが見つかるのか」と尋ねました。

「これ以上、エウロペのことで心を煩わすのは止め、神殿を出た後出会う牝牛の後をついて行き、その牛が疲れてうずくまった場所に町を建設して住むがいい」

神託は彼にこう告げました。

カドモスはデルポイの託宣《たくせん》に従い、最初に出会った牝牛の後について行くと、その牛はポイオティア地方に入り、のちにテバイとなる場所に身を横たえたのです。

カドモスはそこに町を建設することにし、まず彼をそこに導いてくれた牝牛をアテナに捧げようとしました。そのため、フェニキアから彼に従って来ていた家来たちに、儀式に必要な水を汲《く》みに行かせました。

幸い、付近の森のなかに泉があったものの、その泉は戦争の神**アレス**のもので、アレスの子の竜に守られていました。そのため、カドモスが派遣した者たちはその竜に殺されてしまいました。

カドモスは自ら泉へ行き、その竜を殺しました。そしてその後でアテナから助言を受け、殺した竜の口から歯を抜き取り、作物の種を播《ま》くのと同じように耕した地面に播きました。すると、歯を播いた畝《うね》のなかから武装した戦士たちが次々に生まれ出てきました。

その後、カドモスはアテナに教えられた通り、物陰に隠れて戦士たちのまん中に石を投げました。すると、誰が石を投げたのかということで争いが起こり、最後に五人だけが生き残りました。

カドモスはその五人を自分に従わせ、スパルトイ（播かれた者たち）と呼んで、テバイの最初の市民にしました。

ヤーコブ・ヨルダーンス『カドモスとアテナ』
プラド美術館蔵（スペイン）

74 アレスへの奉公とハルモニアとの結婚

町を建設するためとはいえ、カドモスは戦争の神アレスの子の竜を殺したうえ、その竜の歯から生まれた戦士たちに殺し合いをさせてしまいました。

この罪を償うため、彼は八年ものあいだ、アレスの下僕となって奉公をしなければなりませんでした。そしてその奉公が終わると、ゼウスはカドメイアと呼ばれたテバイの王となったカドモスをアレスと和解させ、アレスと美と愛の女神アフロディテの娘**ハルモニア**をカドモスの妻にしました。

その際、神々はハルモニアへの祝いの品を持ってオリュンポスから降臨し、女神と人間の英雄の結婚という稀有《けう》な出来事を祝いました。

その贈り物のなかには、世にも艶麗《えんれい》な衣と技術の粋を尽くして作られた黄金の首飾りがありました。首飾りを作ったのは技術の神ヘパイストスで、衣を織《お》ったのは機織《はた》りの女神アテナでしたが、その装飾にはやはりヘパイストスの手が加わっていました。

ハルモニアは、アレスがヘパイストスの妻アフロディテに間男《まおとこ》をして産ませた娘でした。そのため、この衣と首飾りにはアレスとアフロディテに対する怨念《おんねん》が込められており、カドモスとハルモニアの結婚から始まったテバイの王家にさまざまな災いをもたらすことになりました。

カドモスとハルモニアのあいだには、**アウトノエ**と**アガウェ**、そして**セメレ**という娘と、**ポリュドロス**という息子が生まれました。

セメレとイノ、アガウェに起こった事件については、以前、ディオニュソスの物語のなかで紹介した通りです。アウトノエはアリスタイオスという英雄と結婚しましたが、二人のあいだに生まれたアクタイオンはアルテミスによって鹿に変えられ、自分の猟犬たちに食い殺されてしまいました。

ディオニュソスに狂わされ息子のペンテウス王を殺してしまったアガウェは、その後ギリシアを離れ、イリュリア地方に住み着きま

した。カドモスとハルモニアも娘を追って、そこに移住しました。そして、テバイの王位にはカドモスの末息子ポリュドロスがつきました。

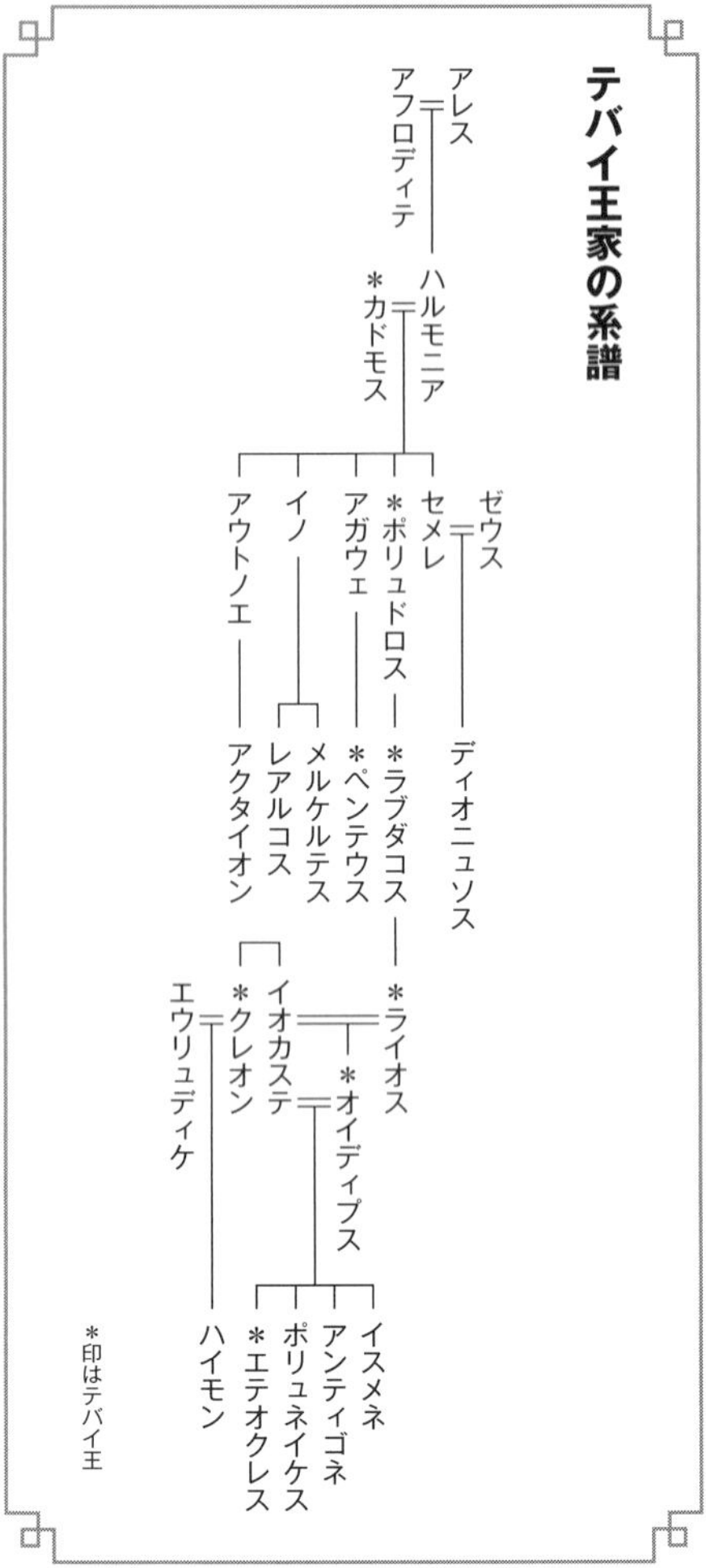

第7章

スピンクスの謎とオイディプス

75 親に捨てられた脹れ足の英雄

　これから紹介する話の主人公は**オイディプス**です。彼はギリシア神話のなかでもとくに名高い英雄で、祖父のラブダコスは、ペンテウス王が横死した後にテバイの三代目の王になったカドモスの末子ポリュドロスが残した唯一の子でした。

　そして、オイディプスの父**ライオス**はラブダコスの一人息子で、オイディプスもライオスの一人息子でした。つまり、オイディプスはカドモスの血を引くたった一人の子孫だったのです。にもかかわらず、彼はこれからご紹介する理由で、自分はコリント王の嗣子《しし》だと信じ、テバイではなくコリントで成長しました。

　ライオスは成長してもテバイの王位に即《つ》くことができませんでした。ライオスの父ラブダコスは、彼が生まれるとすぐに亡くなり、その後、ゼウスがテバイにいたアンティオペという美女を愛人にして生ませたアンピオンとゼトスという双子の英雄が王となり、テバイを支配していたからです。

　このアンピオンの妃《きさき》が、「自分のほうがアポロンとアルテミスの母レトより子福者だ」と自慢したため罰を受け、子どもたちをアポロンとアルテミスの矢で射殺されたニオベです。

邪魔者にされたライオスはペロポネソス半島に亡命し、ピサにあったペロプス王の宮廷に身を寄せ、そこでクリュシッポスというペロプスの末子の教育をまかせられました。

ところが彼は、この美少年に同性愛の欲情を燃やし、誘拐して凌辱《りようじよく》を加えてしまったのです。辱《はずかし》めを受けたクリュシッポスは自殺し、怒ったペロプスはライオスに「お前に男の子が生まれたら、必ずその子に殺されるだろう」という呪いをかけました。

アンピオンとゼトスが子孫を残さずに死んだ後、ライオスはテバイに呼び戻され王になりました。ライオスは**イオカステ**という妃を娶《めと》りましたが、息子に殺される運命にあると

いう呪いをかけられていたため、夫婦関係を持たずにいました。

しかしある夜、酒に酔って自制心を失ったライオスは、妻と一度だけ交わってしまいました。そして、イオカステはその交合によって妊娠し、男児を産んでしまったのです。

ライオスはこの子をこの世から消し去る決心をし、両足の踵《かかと》をピンで貫いて歩けなくしたうえで、下僕の羊飼いに「お前が夏に家畜の群れを放牧しているキタイロン山の山奥に捨てて来るのだ」と命じました。

ところがこの羊飼いは王の命令を守らず、山中にいたコリントの王ポリュボスの羊飼いにその子を渡しました。

その羊飼いはポリュボス王に子どもがいなかったことを知っていたため、足に刺さったピンを抜いて王宮へ連れて行きました。

この子はピンを抜いた後も踵の腫《は》れが引かなかったため、「**脹れ足**」という意味の「オイディプス」という名を与えられ、ポリュボスの嗣子として育てられることになったのです。

76

父との皮肉な出会い

オイディプスは、「息子に殺される」という神託が成就することを恐れた父ライオスによって、生後すぐに両足の踵《かかと》をピンで貫かれ捨てられました。しかし、下僕が命令を守らなかったため、コリントでポリュボス王の後継ぎとして大切に育てられることになりました。

そして、オイディプスと名付けられたその若者は、知恵や膂力《りょりょく》だけではなく、すべての技量に傑出した立派な若者に成長しました。

オイディプスは自分が捨て子だと言うことを知らずに育ちましたが、ある宴会の席で、泥酔した男が「お前はポリュボスの実の子ではない」と口を滑らせてしまいました。

オイディプスはそのことを両親だと信じていた王と王妃に話し、真偽を尋ねました。すると二人は、そのような妄言を吐いた男に憤慨し、「お前は間違いなく自分たちの実の子です」と明言しました。

しかし、その言葉だけでは納得がいかなかったため、オイディプスはデルポイへ行き、アポロンの神託に「自分の真の両親は誰なのか」と尋ねました。

すると神託はその問いには答えず、こう告げたのです。

「お前は自分の母と結婚し、あってはならぬ子どもたちを誕生させ、父親を殺す運命にある」

驚いたオイディプスは、生みの親だと信じていたポリュボスとメロペが生きているあいだは、二度とコリントには近づかない決心をしました。

こうしてオイディプスはコリントとは反対の方向に旅をしていきました。

すると、山中で隘路《あいろ》が三つ股の辻《つじ》になっているところで、馬車に乗った尊大な人物が家来たちを従えて反対の方向からやって来るのと出会いました。

それはデルポイを目指していたライオスでした。

このときテバイには、**スピンクス**という人間の女の顔をしてライオンの体と猛禽《もうきん》の翼を持つ、世にも恐ろしい怪物が出現していました。そして通りかかった者に不思議な謎をかけ、それが解けないと襲い、餌食《えじき》にしてしまうという奇怪な災いが発生していたのです。

実はこの女怪は、ライオスが若いときにクリュシッポスに対して犯した罪を罰するため、ゼウスの妻ヘラによって送られたものでした。

そのことを知らないライオスは、どうすればこの災いを終わらせることができるのかを、神託に伺おうとしてデルポイに向かっている途中だったのです。

77 避けられない神託と母子婚

オイディプスがライオスの一行と出会ったのは、どちらか一方が横道にそれて相手に道を譲らなければすれ違うことができない狭い道が三つ股に分かれた場所でした。ライオスの車には伝令役の家来が乗っていて、オイディプスに向かって「道を譲れ！」と居丈高《いたけだか》に叫びました。

侮辱されたと感じて憤慨したオイディプスが言うことを聞かないでいると、ライオス自身が身を乗り出し、車の上から先が二股になった突き棒を振り上げて彼を打ち据えようとしました。

激昂《げっこう》したオイディプスは逆襲し、ライオスとその家来たちをあっという間に殺害してしまいました。

古代ギリシアの三大悲劇詩人の一人、ソポクレスの名作『**オイディプス王**』では、このとき一人だけが殺害を免がれてテバイへ逃げ帰り、

「ライオス様の一行が山中で大勢の盗賊に襲われ、自分以外の者は皆殺しにされまし

た」

　という虚の報告をしたことになっています。

　いずれにせよ、オイディプスがライオスを殺したことで、彼がデルポイで受けた「父を殺す運命にある」という神託が実現してしまったわけです。

　しかし、ライオスと争ったときオイディプスは、相手がどこの誰であるかまったく知りませんでした。

　つまりこの時点では、自分が神託に告げられた通り、父を殺してしまったことにまったく気づいていなかったということです。

　この後もオイディプスは旅を続け、テバイへやって来ました。テバイではライオスが後継ぎの子を残さずに急死したため、王妃だったイオカステの兄クレオンが国を支配する摂政《せっしょう》の地位に就いていました。

　ライオスは死んだものの、テバイでは相変わらずスピンクスの災いが続いていました。そこでクレオンは
「スピンクスの謎を解き、この災いを終わらせることができた者をイオカステと結婚させ、テバイの王にする」

と布告していました。

そこにオイディプスがやって来て、この布告のことを知りました。

オイディプスはさっそくスピンクスの前へ行き、あっさり謎を解いてしまいました。

人間にこの謎は絶対に解けないとみくびっていたスピンクスは、驚愕《きょうがく》のあまり断崖から身を投げて死んでしまいました。

オイディプスはクレオンの布告に約束されていた通り、イオカステと結婚してテバイの王位につきました。そして、母だとは知らず妻にしたイオカステに四人の子どもを産ませてしまいました。

つまり「母と結婚してあってはならぬ子どもたちを誕生させる」という神託も、彼が知らないままにその通りになってしまったわけです。

78 スピンクスの謎かけ

ギリシア神話を解説しているほとんどの本には、スピンクスが出していたのは「**朝は四本足、昼間は二本足、晩に三本足で歩くものは何か**」という謎だったと書いてあります。そしてその謎をオイディプスが、「それは赤児のとき四本足で這《は》って歩き、成長すると二本足になり、老年には杖を三本目の足とする人間だ」と言って解いたとされています。

しかし、古代の資料を見ると「最初は四本足だったが、次に二本足になり、最後に三本足になるものは何か」という意味に取れるような言葉はどこにも出てきません。

ある文献には「同時に二本足でも三本足でも四本足でもあるものは何か」という謎だったと書かれていますし、知られている最も古い文献には「二本足でも四本足でも三本足でもあり、地上と空中と海中の生物のなかで一つだけ性質（ピュシス）を変えるものは何か」という謎だったとあります。

そうすると、「**それは人間だ**」というオイディプスの答えが本当に正解だったのか疑わしくなります。しかし、オイディプスが謎を解いたとき、スピンクスの前にはたしかに謎に言われている通りの生き物がいたのです。

それはオイディプス自身でした。

なぜなら、オイディプスは生後すぐに踵《かかと》をピンで貫かれ山奥に捨てられました。つまり、二本足の人間になる可能性を否定され、四つ足の獣の世界に放逐されようとしたわけです。

その後、彼は踵のピンを抜かれて立派な二本足の人間に成長しましたが、それでも彼の足は腫《は》れたままでした。それは、「腫れ足」を意味する名前が付けられたことでも明らかです。つまり、二本足でありながら、両足に二本足であることを否定する〝**しるしづけ**〟がされていたということです。

そのうえ、彼はテバイに来る前に父のライオスを殺害していました。また、スピンクスの謎を解けば母のイオカステと結婚し、その腹から子どもを誕生させる運命を定められていました。

古代ギリシアにおいても、親を殺したり母と相姦《そうかん》して子を儲けることは、人間のあいだでは絶対にあってはならない不倫とされていました。しかし、四つ足の獣のあいだでは当たり前のことと考えられていました。

つまり、父殺しをして母子姦を遂げようとしているオイディプスは、四つ足の獣と同然だったのです。しかもこのときすでに、事実を知った後にオイディプスが自ら両眼を潰し、杖を三本目の足にしなければならなくなる運命も決まっていました。

79 謎の答えそのものだったオイディプス

つまり、スピンクスの謎を解いたときのオイディプスは、同時に二本足でも四本足でも三本足でもある者だったのです。

まず彼は、スピンクスに向かって二本足で歩いていきました。これは彼以外の人間にはできないことでした。

なぜなら、スピンクスは謎の解けない人間を容赦なく食い殺しており、この女怪が目の前にいながら、恐れず二本足で立っていられる人間は、オイディプスの他にはいなかったからです。

ところが、そのことで人間の誰よりも優れた〝二本足〟だったことが明らかとなったそのオイディプスの両足には、二本足性を否定された〝しるし〟がはっきりと刻印されていました。

しかも彼はこのときすでに父を殺し、やがて母と結婚して子を産ませようとしていました。つまり、四つ足の獣同然に成り下がっていたということです。

有名な犬儒学派の哲学者ディオゲネスはこのことについて、次のように語ったと伝えられています。

「オイディプスは自分が同じ子どもたちの父でも兄でもあり、同じ女の夫でも息子でもあることを大声で嘆いたが、犬どもはそんなことは気にしないし、驢馬《ろば》どものなかにも、そんなことを気にするものはいない」

この見方に従えば、オイディプスは古代ギリシア人が英語の「nature」にあたる「**ピュシス**」という言葉で呼んだ本性を、人間から獣に変えていたと言えるわけで、そのことでもスピンクスの謎にあった通り、「地上と空中と海中の生物のなかで一つだけ性質（ピュシス）を変えるもの」だったわけです。

つまり、オイディプスは二本足でも四本足でもあるのと同時に、自分ではこの時点でまだ気づいていなくても、明らかに三本足でもありました。

なぜなら、外見は二本足の人間でしたが、すでにピュシスは四つ足の獣に変わっていましたし、やがて杖を三本目の足にしなければ歩けなくなることが決まっていたからです。

また、スピンクスと相対したときに、オイディプスは杖をついていました。実際、古代ギリシア美術のなかには、テバイまで旅をするために使った杖で体を支えながら、スピンクスと対面しているオイディプスの姿が頻繁に描かれています。

ドミニク・アングル『スフィンクスの謎を解くオイディプス』
ルーヴル美術館蔵(フランス)

80

テバイに発生した神罰の疫病

古代美術のなかには、スピンクスの前に立ったオイディプスが右手の指先をはっきりと自分の顔に向け、自分自身を指差しているところを描いているものもあります。

この図像から推察すると、オイディプスはスピンクスに向かって自分を指し示しながら、「それは私がそうである人間だ」と宣言したことになります。

つまり、同時に二本足でも四本足でも三本足でもあり、人間から獣へピュシスを変えている自分自身を人間の代表として示したと考えられるわけです。

この答えを聞いたスピンクスは、即座にそれが正解だと認めました。そして、人間には決して解けないはずと信じて出していた謎をオイディプスに解かれてしまったことに驚き、断崖から身を投げて死んでしまいました。おかげで、テバイはこの恐ろしい女怪の害から解放されました。

オイディプスはクレオンの布告に約束されていた通り、自分の実母だとは知らずにライオスの妃《きさき》だったイオカステと結婚し、テバイの王位に即《つ》きました。

オイディプスはスピンクスを退治したことで、「人間のなかで最高の知者であると同時に勇者」という赫々《かくかく》たる名声を享受し、国民たちからは自分たちを助けてくれた救い主の名君として慕われ、神と見まごうばかりの崇敬《すうけい》を受けながらテバイを長年にわたって統治し繁栄させました。

そして、イオカステとのあいだに**ポリュネイケス**と**エテオクレス**という二人の息子と、**アンティゴネ**と**イスメネ**という二人の娘を儲けました。

ソポクレスの『オイディプス王』では、オイディプスが国民の満腔《まんこう》の感謝と尊敬、そして信頼を受けて稀代《きだい》の名君として統治しているテバイに、また突然、不思議な災いが発生したことになっています。

その災いとは、作物が育たなくなり、家畜も人間の女性も子どもを産めなくなったうえに、高熱を伴う疫病が蔓延《まんえん》して住人たちが次々に死んでいくという恐ろしいものでした。

オイディプスはその災いが起こった理由と、どうすればそれを終わらせることができるかをアポロンの神託に尋ねるため、クレオンをデルポイに派遣しました。

「災いは、この国の前の王だったライオスを殺害した下手人が罰を受けず、テバイで安穏に暮らしているために起こったものだ。その下手人を見つけ出して死刑にするか国外に追放すれば終わる」

クレオンはこのような神託を受け、テバイに戻って来ました。

紀元前四七〇年頃の陶器絵。
イオニア式の柱の上にいるスピンクスの前に
杖をついて立つオイディプス。

紀元前四世紀の紅玉髄の印章。
岩の上にいるスピンクスの前に立って、
自分を指差しているオイディプス。

81 謎解きの名人が挑んだ新たな謎

その神託を聞かされると、オイディプスはテバイの市民たちにこう約束しました。

「ライオスを殺した下手人が誰なのか、自分がとことん究明して災いを終わらせる」

つまり、人間には解けないはずのスピンクスの謎を解いた謎解きの大名人オイディプスが、新しい謎を解くことになったのです。

オイディプスは明敏な知恵と何ごとにもたじろがない勇気を駆使し、劇の合唱隊を構成しているテバイの長老たちが見守る前で究明を開始しました。

その結果、ライオス殺害の下手人であり、災いを終わらせるためにテバイから追放されなければならないのは自分自身で、しかも彼が妃《きさき》にして四人の子を産ませたイオカステは自分の母だということを明らかにしてしまうのです。

この謎解きの手始めとして、オイディプスは、ライオスの殺害についてわかっていることをクレオンに尋ねました。自分がテバイに来るより前に起きた事件だったため、詳しいことを知らなかったからです。

クレオンは、ライオスがアポロンの神託を受けようと旅に出て、その途中で盗賊に襲われ、一人を残して皆殺しにされたのだと説明しました。さらに、一人だけその場から逃げのびてテバイに戻ってきた者がおり、凶行を働いた盗賊は一人ではなく、大勢だったと報告したと伝えました。

究明を続けていくうち、オイディプスは「ライオスが盗賊たちに殺害された場所は、**道が三筋に分かれたところだった**」と知り愕然《がくぜん》としました。このような場所で王が殺害された事件について、思いあたることがあったからです。

テバイの王になる前、オイディプスはまさにそのような場所で、どこかの国の王に見える人物が馬車に乗り、家来を連れて逆方向からやって来るのと鉢合わせしていました。理不尽な仕打ちを受けたオイディプスは、腹を立ててその男と家来たちを殺していました。

もしライオスの殺害が「道が三筋に分かれたところ」で起きたというのが事実なら、自分があのとき殺した男はライオスだったのかもしれないと思い、オイディプスは慄《りつ》然《ぜん》としたわけです。

82

犯人は一人だったのか、それとも大勢だったのか

ライオスが殺された場所が「道が三筋に分かれたところだった」ということをイオカステから聞かされ、オイディプスは背筋が寒くなりました。もし自分の考えていることが正しいとすると、現在のテバイの災いの原因になっているライオス殺害の下手人は、なんとオイディプス自身だということになるからです。

イオカステが口にした「道が三筋に分かれたところ（エン　トリプライス　ハマクシトイス）」という言葉に、オイディプスがいま取り組んでいる謎解きのための重大な手掛かりが含まれていることは明らかでした。

謎解きの大名人のオイディプスは、その手掛かりになる言葉を聞き逃しませんでした。答えが自分だということになるかもしれないとわかっていても、オイディプスはこの手掛かりを出発点にし、まっしぐらに先へ進みました。

そのため、オイディプスはイオカステに、

「ライオスが殺された、その〝道が三筋に分かれたところ〟はどこの土地にあるのか」

「その事件が起きたのはいつで、ライオスの容姿と年恰好《としかっこう》はどのようで、そのとき彼はどのような家来を連れて旅をしていたか」

などと問い質《ただ》しました。すると、それらはすべて、彼がかつてテバイに来る途中でしでかした殺害と符合していました。『オイディプス王』では、彼はそこで「ああ今や、事はすべてはっきりした（七六四行）」と言い、ライオス殺害の下手人が自分だったことに疑問の余地がなくなったという思いを吐露《とろ》します。

しかし、この時点でオイディプスは、間違いなく自分がライオスの殺害者だと判断を下したわけではありませんでした。なぜなら、それまでにクレオンとイオカステから聞かされた内容と、彼がテバイに来る前にしでかした殺害には明らかに異なる点があったからです。

イオカステはライオスの殺害が、「**盗賊たち**（レスタイ）**の仕業だった**」と言いました。ところが、オイディプスがライオスによく似た人物を殺したとき、彼は一人で旅をしていました。そこでオイディプスは、「現場から逃げ帰って事件を報告した男を問い質し、ライオスが本当に大勢の手にかかって殺されたことを確かめれば、犯人が私ではないことがわかる」と考えました。

83 オイディプスを助けた羊飼いの召喚

オイディプスはイオカステに尋ねました。

「ライオスが殺された現場から一人だけ生還した男は、いまどこにいるのか」

そして、田舎で羊飼いをしていることを知らされると、彼をすぐこの場に召喚するよう要求しました。

「今さら、なぜそのようなことをなさるのでしょうか」

イオカステはこう聞き返しました。

「私はテバイに来る前、殺されたときのライオスとそっくりな人物を手にかけたのだ」

オイディプスは、彼女とテバイの長老たちの前でこう告白しました。

彼は続けました。

「ただし、私はそのとき一人だった。もし生き残りの男を問い質《ただ》し、ライオスが一人ではなく大勢の盗賊たちに殺されたことが確認できれば、私があのときに殺害したのがライオスではなかったことが明らかになる」

それを聞いたイオカステは心底驚き、

「その男は、たしかにライオスの殺害は大勢の盗賊たちの仕業と報告しました。しかもその話は、自分だけでなくテバイの人たちもはっきり聞いたので、彼がその話を取り消すことはありえません」

と言い、その羊飼いの男を呼び寄せることをオイディプスに約束しました。

するとその男が召喚されるより前に、そこに一人の老人がコリントからの使者としてオイディプスを訪ねてきました。

「ポリュボス王が後継ぎを残さずに亡くなり、コリントの人々はあなた様が帰国して王になってくれることを願っております」

その使者はこう告げました。

オイディプスは、彼が実父と信じていたポリュボスが自分の手にかからず病死したため、自分が父を殺すという神託が実現する可能性がなくなったと安堵《あんど》しました。

しかし、母のメロペが生きているあいだは「母と結婚する」という神託を恐れないわけにはいきませんでした。そのため、「コリントに行くことはできない」と答えました。

オイディプスがメロペを母と信じ、神託を恐れていることを知ったその使者は、驚いたことに「その心配なら私がすぐに取り除いてさしあげられます」と言ったのです。

実は、この老人は、かつてキタイロン山に捨てられた赤児のオイディプスの命を救い、コリントへ連れ帰ったポリュボス王の羊飼いだったのです。

自分が救い、ポリュボス王の嗣子《しし》になったかつての赤児が、今やコリントの王になろうとしていたため、このことをまっ先にオイディプスに知らせれば、莫大《ばくだい》な恩賞を受けられるだろうと期待に胸を膨らませ、使者の役を自ら買って出て、老躯《ろうく》に鞭《むち》打って旅をして来たのです。

84 真実を知らせまいとしたイオカステ

コリントから来た老人の使者はオイディプスに、彼が生まれてすぐに両足の踵《かかと》をピンで貫かれキタイロンの山奥に捨てられそうになっていたこと、自分が助け、踵のピンを抜いてコリントへ連れ帰り、ポリュボス王が嗣子《しし》にしたことなどを語りました。

「では、私の本当の父母は誰なのだ」

オイディプスが尋ねると使者の老人は、

「私にはわかりませんが、赤児のオイディプスを自分にくれた、当時ライオスの下働きをしていた羊飼いが知っていると思います」

「その羊飼いに会うことができるか」

オイディプスが尋ねると、それまで黙って二人のやり取りを聞いていたテバイの長老たちが、こう言いました。

「私たちには、その羊飼いというのが、オイディプス様がいま召喚しようとされている、ライオス様の殺害を報告した男と同一人物ではないかと思います。イオカステ様に確かめれば、はっきりするでしょう」

使者の話から、イオカステはすでにオイディプスが自分の産んだライオスの息子だということに気がついていました。

それで彼女は、その世にも恐ろしい真実をオイディプスだけには知らせたくないと思い、躍起になりました。

そこでイオカステは、オイディプスに
「あんな男を呼び、詮議《せんぎ》することは取り止めにしてほしい」

と、羊飼いのことは忘れるよう必死で懇願しました。

『オイディプス王』のなかでオイディプスは、

「これほどの手掛かりを得ておきながら、この私が自分の素姓を明らかにせずにおくことなど、断じてできるわけがない（一〇五八〜一〇五九行）」

と言い、妃《きさき》がなんと言おうがその牧夫を召喚して問い質し、わかりかけてきた自分の素姓をとことん究明する決意を表明します。

オイディプスの決心を変えることが不可能だと覚《さと》ったイオカステは、

「ああ、不幸なお方、ご自分がだれであられるのかお知りになられることが、どうかけっしてありませんように（一〇六八行）」

「ああ、ああ、世にも不幸なお人、こうお呼びするよりほかにあなたに申せることは、今もこの後も、もはや何もありません（一〇七一～一〇七二行）」

と悲痛きわまりない叫び声をあげ、狂乱した様子で王宮へ駆け込んでいったことになっています。

85 羊飼いから聞き出した衝撃の事実

その後、オイディプスに召喚された羊飼いが、気の進まない様子でやって来ました。やはり、彼はかつてライオスに命じられ、赤児のオイディプスを捨てようとした下僕でした。彼はその功で家来に取り立てられ、ライオスがデルポイに神託を受けに行こうとしたときにはお供に加えられていました。

彼は、ライオスが殺害された現場から一人だけ逃れ、王と他の従者たちが大勢の盗賊に殺されたという報告をしていました。

しかしその後、ライオスを殺したオイディプスがテバイへやって来て、スピンクスの謎を解いてイオカステと結婚し王となったため、彼に見咎《みとが》められることを恐れ、自分をもとの羊飼いの身分に戻してもらっていました。そして、テバイから遠く離れた田舎で家畜の番をしてひっそりと暮らしていたのです。

オイディプスはコリントから来た使者の老人に、この男が自分を彼に渡したことを確かめました。

『オイディプス王』では、使者の老人が「ここにおいでのお方が、おお、友よ、あのときに赤児であられた方なのだ（一一四五行）」と言い、オイディプスがあのときの赤児であることを、羊飼いの老人に教えたことになっています。

この羊飼いの老人は、オイディプスがライオスを殺したことを知っていましたが、それが自分の捨てるはずだったライオスとイオカステの子だということは知りませんでした。もしそうだとしたら、オイディプスは父を殺し、母子婚をしたにもかかわらず、自分ではその忌まわしいことを知らずにいることになります。

突然そのことを悟った彼は仰天し、青ざめ震えながらコリントから来た老人を「なんという呪われた奴だ。もうそれ以上は何も言うな（一一四六行）」と怒鳴りつけ、黙らせようとします。

しかし、あくまでも真実を知ろうとするオ

イディプスは、羊飼いの老人を逆に厳しく叱りつけます。

やがて羊飼いの老人の口から「ああ、それこそ申すのが本当に、世にも恐ろしいことでございます（一一六九行）」という言葉が漏れますが、オイディプスは「この私にもそれを聞くのが、やはり何よりも恐ろしい。だがそれでもどうしても聞かぬわけにはいかない（一一七〇行）」と言いながら、ライオスとイオカステが自分の父母であることを聞き出したのです。

86 自ら眼を潰したオイディプス

産まれたばかりの自分を捨てるはずだった羊飼いの口から、ライオスとイオカステが自分の父母であることを聞き出したオイディプスは、『オイディプス王』によると、悲痛きわまりない声で絶叫します。

「ああ、ああ、事はこれですべて明らかになった。おお光よ、今のこのときが私がお前を見る見納めとなれ。今や私は、親であってはならぬ人から生まれ、妻にしてはならぬ人と夫婦になり、害してはならぬ人を殺したものであることが、明白になったのだから（一一八二～一一八五行）」

オイディプスは狂乱した様子で王宮へ駆け込み、奥の寝室で息絶えているイオカステを見つけると、彼女の衣から抜き取った黄金のピンで、自分の両眼を呪いながら突いて潰します。その凄惨きわまりない模様は、目撃した使者によって、次のように報告されたといいます（一二六四～一二七六行）。

「それを見るや不幸なお人は、恐ろしい唸《うな》り声をあげて首を吊《つ》っている紐《ひも》を外し、それでお可哀想なお妃《きさき》は地面に横たえられました。その後に、本当に見るも恐ろしいことが起こったのです。お妃のお着物からそれを留めている黄金のピンを引き抜いて振り上げられ、それでこう叫ばれながらご自分の両の御眼を突かれたのです」

「これらがわたしとわたしの苦しみとわたしの犯した悪行を見ることは、もはやあるまい。以後は暗闇のうちにあって、見るべきでなかったものを見ることもなく、わたしが知りたかった人々を知ることもないだろう」

『オイディプス王』のなかで、オイディプスはこうしてスピンクスの謎に言われていたまさにその通りの者だったことを、はっきり露呈させたのです。

劇が始まった時点では誰よりも立派な人間で、彼ほど優れた人物はいないと考えられていたオイディプスは、劇中で父を殺したうえに母子婚をし、あってはならない子を出生させていたことが明らかになりました。そして二本足の人間の性質（アントロペイア　ピュシス）をなくし、性質（ピュシス）を四本足の獣に変えてしまっていたことを明らかにしてしまったのです。それで、そのことを自ら知ると、彼はすぐに眼を潰し、三本目の足の杖を必要とするようになり、二本足でも四本足でも三本足でもあり、ピュシスを人間から獣に変えている自分の正体を白日の下に晒《さら》したのです。

87 眼を潰したのは本当に自分の判断だったのか

この後、オイディプスは王位を捨ててテバイを出て、長女の**アンティゴネ**に手を引かれてその献身的な介護を受けながら諸処を放浪しました。

しかし、二人が身を落ち着けることのできる場所はどこにもありませんでした。なぜなら、彼が父を殺し、母子婚をして母に子を産ませたこと、そしてその所為でテバイに災いが起こったことはギリシア中に知れ渡っており、もし彼がどこかに留まれば、その土地にはテバイに起こったのと同じ災いが起きると信じられていたからです。

そのため、彼はどこへ行っても素姓を知られると、わずかな施しを与えられただけで追い立てられ、立ち去るしかありませんでした。

しかし、その惨《みじ》めな遍歴のあいだ、父殺しと母子婚によってピュシスを人間から獣に変えてしまっていたオイディプスは、それと反対の方向にも絶えずピュシスを変えるものであり続けました。

なぜなら眼が見えなくなっても、彼はそのときどきで自分が置かれた状況を判断し、そのなかでやらなければならないことを自身の責任で判断し、敢然と実行するという二本足の人間にしかできない生き方を続けていたからです。

このように、ピュシスを獣から人間に変える生き方を、彼は眼を潰した瞬間からすでに始めていました。

『オイディプス王』では、両眼から流れる血で朱に染まった彼の無惨な姿を見たテバイの長老たちは問いかけました。

「おお、恐ろしいことをされたお人、いったいどうして、このように眼を潰してしまわれることができたのか。どの神が、あなたを駆り立てたのか（一三二七～一三二八行）」

これに対し、オイディプスはこう答えました。

「アポロンだ。友よ、アポロンがこのわたしの不幸、わたしの悲惨な苦患《くげん》を成就したまうたのだ。だがこの眼を傷つけたのは、他の誰でもない。この不幸なわたしの手だ（一三二九～一三三二行）」

つまり、テバイの長老たちには、オイディプスが正気を保ったままピンで眼を突いたとは思えなかったのです。そのため、神に理性を狂わされ、彼に取り付いた神に手を動かされていたと考え、このような悲惨な行為に彼を駆り立てたのはどの神なのかと彼に問い質《ただ》したのです。

オイディプスはまず、彼が父を殺し母と結婚して子を産ませたことは、そうなる運命をあらかじめ定め、神託で予言したアポロンの仕業だったと言いました。しかし、眼を潰したときはどの神によっても狂わされておらず、正気でそうしなければならないと判断し、自分の意志で手を動かしていたのだときっぱり言ったわけです。

88 奇蹟によって神霊になったオイディプス

『オイディプス王』の作者ソポクレスは、ギリシア劇の白眉であるこの傑作が初演された約二十年後の紀元前四〇六年に、九十歳という高齢で世を去りました。

そしてその死の直前に、遺作となったオイディプスを主人公とするもう一篇の劇**『コロノスのオイディプス』**を書き上げました。

紀元前四〇二年に彼の孫によって初演されたこの劇では、オイディプスが想像を絶する不幸と苦難の極致にあっても科される運命を見届け、そのなかで責任を果たし、自分に相応《ふさわ》しくあろうとすることでピュシスを人間にする生き方を続け、流浪の最後にソポクレスの故郷だったアッティカのコロノスへたどり着き、そこで生涯を終え地上から姿を消した経緯が描かれています。

この劇の終わり間際のことです。オイディプスが二人の娘とアッティカの王**テセウス**らといると、突然、彼を呼ぶ不思議な声が聞こえてきます。

「おうい、そこのオイディプス、なぜ私たちの出発を遅らせるんだ。もうずいぶん長いこと、お前に待たされているぞ（一六二七〜一六二八行）」

それは、まるで仲間に対するように親しげに語りかける神の声で、それを聞いた者たちの髪はたちまち恐怖に逆立ちました。オイディプスは娘たちの手に優しく触れ、「おお、子どもたちよ、お前たちは心にしっかり気高さを保ってこの場所から立ち去り、見ても聞いてもならぬことを見聞きせぬようにしなければならぬ。大急ぎで行きなさい（一六四〇〜一六四三行）」

と言って彼女たちを去らせました。そして「ただ王のテセウス殿だけがここに残られて、これから起こることを知られるがよい（一六四三〜一六四四行）」

と言い、彼の最後の模様を一人だけ見ることを許されていたテセウスだけを残らせました。

その後に起こったのは、テセウス以外に誰も見たことがない世にも不思議な出来事でした。

そのことは、奇蹟《きせき》が終わった後に振り返り、そこにいたオイディプスの姿がかき消されるようになくなっているのを見た男によって次のように語られています。

「あの人は、神が投げた燃えさかる雷火に打ち殺されたのでもなければ、あのとき突風が吹いて彼を運び去ったのでもない。神々から誰かが彼の案内に遣わされたか、それとも地下の神々の住みたまう大地が、彼を歓迎して割れ目を開いたのだ。あのお人は悼まねばならぬ仕方でなく病に苦しみもせずに、人の中にまたとあり得ぬような驚くべき奇蹟によって世を去られたのだ（一六五八〜一六六五行）」

89 ソポクレスのアテネへの遺言

『コロノスのオイディプス』によれば、オイディプスはコロノスで死んだのではなく、奇蹟《きせき》が起こり、地下界の神々に歓迎されながら仲間に迎え入れられて姿を消し、地上での生涯を終えたことになっています。

つまり『オイディプス王』のなかで、オイディプスが人間以下の獣と人間という二重のピュシスを持ち、後者から前者へ、また前者から後者へと不断にピュシスを変える存在だとしたソポクレスは、この劇のなかで、そのオイディプスが人間以上の存在である神霊へとピュシスをさらに変化させた様子を描き出したのです。

つまり、この劇のなかでオイディプスは、足の数の同時的な変化が二本、四本、三本と三様であったのと同様、ピュシスも、人間と人間以下の獣、人間以上の神霊という三様に変化させたことになります。

この劇が書かれたと思われる紀元前四〇四年の二年後の紀元前四〇二年には、**ペロポネソス戦争**がアテネの敗北によって終わりましたが、そうなることは劇が書かれた時点では誰の目にも明らかでした。それぱかりか、敗北の暁にはアテネは完全に破壊され亡ぼされる可能性すらありました。アテネと敵対していた諸国のなかではテバイやコリントが「そうすべきだ」と主張していたことが知られています。つまり、紀元前五世紀にペルシア戦争に勝利し、その後、ペリクレスの統治下で未曽有の繁栄を謳歌《おうか》した後のアテネは、ペロポネソス戦争で辛酸を舐《な》めた後、度重なる失錯《しっさく》により自信を微塵《みじん》に粉砕されて疲労困憊《こんぱい》し、地上から存在そのものを抹殺される恐れすらあったのです。

『コロノスのオイディプス』は、そのアテネの人々に宛てた遺書でした。

ソポクレスは、かつてのアテネのように偉大な手柄をあげて不滅と思われた栄光を得たのち、一転して惨憺《さんたん》たる逆境に陥ったオイディプスが、最後に地上から消滅しながら不死の神霊と化した奇蹟を描いてみせました。

「このオイディプスのように不屈の勇気を持って苦難に雄々しく耐え、悲惨のどん底に落ちても気高さを失わぬ偉大な存在は、運命の所為で破滅して地上からなくなることがあっても、神々によってなお不可視の影響力を付与され、それを歴史のなかで発揮し続けることができるので、久遠に不滅になり得るのだ」

彼は同胞たちに、こう訴えようとしたのだと思われます。

第8章

トロヤ戦争

90

英雄の種族の時代を終わらせようとしたゼウス

オイディプスが地上を去った後、ゼウスは英雄たちの時代をあまり長く続かせませんでした。英雄たちの数はどんどん増え、大地の女神ガイアは彼らの活躍を支えるのを重荷に感じるようになっていました。しかし、彼らが大地の苦しみに頓着することはなく、傍若無人な振る舞いは止まりませんでした。

ガイアはたまりかね、思い上がっている人間たちを亡ぼし、大地の荷を軽くしてくれるようゼウスに訴えました。そこでゼウスは、英雄たちが大好きな戦争を起こし、彼らが殺し合った末に亡びるよう導くことを決めました。そしてまず、オイディプスがいなくなった後のテバイで、二度にわたる激しい戦争を起こしました。

オイディプスの息子**ポリュネイケス**と**エテオクレス**は、一年交代で王になる約束をしていました。しかし、弟のエテオクレスは約束のときが来ても王位を手放さず、兄を国外に追放しました。憤慨したポリュネイケスはアルゴスへ行ってアドラストス王の婿《むこ》となり、義父の助けを借り、彼自身とアドラストスを含む七人の勇将たちが率いる軍勢を集め、テバイを攻めました。テバイは滅亡すると誰もが思いましたが、エテオクレスの巧みな指揮のおかげで勝利をおさめました。しかし、激戦のあいだにポリュネイケスとエテオクレスは互いに殺し合って戦死し、アルゴス軍の勇将たちもアドラストスだけが生還した他は全員が戦死しました。

この戦争の十年後、七人の勇将の息子たちがまた遠征軍を組織し、エテオクレスの息子ラオダマスが王になっていたテバイを攻めました。父たちが果たせなかった志を受け継いだ「エピゴノイ（後裔《こうえい》たち）」と呼ばれる彼らはテバイを陥落させ、破壊しました。そして、ポリュネイケスの息子のテルサンドロスがテバイの王となり、逃げていた住民たちを呼び戻して支配しました。

この二度の戦争によって、英雄たちの活動の重要な拠点だったテバイをいったん滅亡させた後、ゼウスはギリシア人だけでなく世界の辺境や果てに住む者たちまで巻きこんだいっそう大規模な戦争を起こしました。そして、その大戦争とそれに続いて起こった事件によって、英雄の種族の時代を終わらせ、彼らよりもはるかに劣った子孫たちである鉄の種族たちに交替させたのです。その英雄の種族の時代の終わりに起きた大戦争が、これからお話しするトロヤ戦争です。

91 世界一の美女ヘレネの誕生とメネラオスとの結婚

大戦争を起こすことに決めたゼウスは、英雄たちが夢中になり、殺し合いをせずにいられなくなるような絶世の美女を地上に誕生させることにしました。そのため、彼は**ネメシス**という女神を抱擁しました。

この女神の役目は思い上がりを罰することでした。つまり、身のほどをわきまえなくなった英雄たちが亡びる原因となる子を産む役をさせるのに、このネメシスほど相応《ふさわ》しい女神はいなかったのです。

ところが彼女はこの役を果たすことを嫌がり、いろいろなものに姿を変えてゼウスから逃げようとしました。しかし、ガチョウに変身したところで白鳥になったゼウスに抱かれ、やがてまっ白な卵を産みました。

ゼウスはヘルメスに、この卵をスパルタのテュンダレオス王の妃《きさき》だったレダに預けるよう命じました。このレダもたぐいまれな美女で、ゼウスの愛人にされ、ゼウスの子ポリュデウケスと人間の夫の子カストルという双子の男の子を生んでいました。

彼女に預けられた卵からは、やがてアフロディテの生まれ変わりではないかと思われるほど美しい女の子が生まれました。彼女は**ヘレネ**と名付けられ、テュンダレオスとレダの子として育てられました。

ちなみに、白鳥に変身したゼウスに抱かれて卵を産んだのはネメシスではなくレダだったとされている話もあります。その話のなかでは、レダは卵を二つ産み、その一つからはポリュデウケスとクリュタイムネストラという女の子が、別の卵からはカストルとヘレネが生まれたとされています。

ヘレネが妙齢《みようれい》となり、テュンダレオスが婿《むこ》選びをしようとすると、ギリシア中から英雄たちが押しかけて来ました。求婚者たちはみな狂ったようにヘレネに恋をして分別をなくしており、今にも殺し合いが始まりそうに見えました。

テュンダレオスが困っていると、イタカと

白鳥
チョットォ
種類違うんですけど！
ガチョウ

いう島の王で求婚者の一人だった知恵者の**オデュッセウス**がよいことを教えてくれました。

「求婚者たちに、誰が婿に選ばれても絶対に異議を唱えず、またその結婚に害をする者があれば、全員が一致協力してヘレネの夫を助けると誓わせてから、ヘレネ自身に夫を選ばせればよいのです」

テュンダレオスが言われた通りにすると、ヘレネは**メネラオス**という金髪の美青年を夫に指名しました。彼は、当時ギリシアで最も強い国だったミュケネの王アガメムノンの弟でした。

この二人はみなに祝福されてめでたく結婚し、メネラオスはやがて義父の後を継いでスパルタの王になりました。

92 女神テティスと人間ペレウスの結婚

これから起こそうとしている大戦争の原因となる世界一の美女を誕生させたゼウスは、その大戦争の花形となる無双の勇士も誕生させたいと思っていました。

そして、その方法をテミスに相談しました。テミスは掟《おきて》の女神で、ヘラが妃《きさき》になる前にゼウスの妻となり、季節の三女神ホライと運命の三女神モイライを産んだことはすでにお話しした通りです。そのテミスは、ゼウスも胆を冷やすある秘密を教えてくれました。

ゼウスはこのとき、海に住んでいるある女神に熱心に求愛していました。その女神とは、ヘラに投げ捨てられたヘパイストスを助けた**テティス**でした。

テティスはネレウスという老賢者の海神と、オケアニデスの一人ドリスとのあいだに生まれたネレイデスと呼ばれる海に住む女神の一人で、美女の評判が高かった五十人の姉妹たちのなかでも傑出した美女でした。そのため、ゼウスだけでなくポセイドンも彼女に言い寄っていました。

このテティスは、誰の子を産んでもその子が父よりも強くなるという運命の定めを背負っていました。つまり、ゼウスやポセイドンがテティスに子を産ませれば、その子は父より強くなりますから、世界を支配している現在の神々は地位を奪われてしまう可能性があるということでした。

テミスからこの秘密を聞かされたゼウスは、すぐにテティスへの求愛を止め、ポセイドンにも理由を伝えて言い寄るのを止めさせました。

そして、父より強い子が生まれても、神々の地位が脅かされることがないよう、彼女をテッサリアのプティア国の王で優れた勇士だった**ペレウス**という英雄と結婚させることにしました。

ペレウスにとって、テティスを妻にするのは容易ではありませんでした。彼女は自分が人間の男の妻になることを喜んでおらず、ペレウスが抱こうとすると彼の腕のなかで火や水や風やライオンや蛇など、さまざまなものに姿を変えて逃げようとしました。

しかしペレウスは、ケンタウロスのケイロンに教えられた通り、彼女が何に変わっても怯《ひる》まずにしっかり抱きしめたままでいました。

すると、テティスは大きな白いイカに変わった後、元の美しい女神の姿に戻り、彼の抱擁に身をまかせ妻になることをようやく承知しました。

ヤーコプ・ヨルダーンス『テティスとペレウスの結婚』
プラド美術館蔵（スペイン）

93 不死になりそこねたアキレウス

テティスがペレウスと夫婦の契りを結んだことを知ると、ゼウスは他の神々と一緒に降臨して盛大な宴会を開き、女神と人間の英雄の結婚を祝いました。しかし、この結婚は長く続きませんでした。

ペレウスとのあいだに息子の**アキレウス**を産んだ後、テティスはこの子を不死にしようとしました。そのため、彼女は神々を不死にするアンブロシアを赤児の体にすりこみ、夜になると彼を火のなかで燃やすという作業を続けました。こうすることで人間の肉体を少しずつ燃やして減らし、不死にしようとしていたのです。

ところが、十二日目の夜にペレウスがテティスのしていることを目撃してしまいました。彼は妻が赤ん坊を焼き殺していると思い込み、悲痛な叫び声をあげました。アキレウスを不死にしようとしたテティスの計画は、この妨害のせいで中途半端に終わってしまいました。

落胆したテティスは赤ん坊を床の上に投げ出すと、そのまま家を出て海の底にいる父と姉妹たちのもとへ帰ってしまいました。このためアキレウスは、踵《かかと》以外はどんな武器でも傷つけることのできない体を手に入れることができましたが、不死にはなれませんでした。

アキレウスを不死にしようとしたテティスは、彼の体を地下の死者の国に湧いているステュクスという泉に浸したとも言われています。この話では、テティスがアキレウスの踵を掴《つか》んでいたため、そこだけが神聖な水につからず、普通の肉体が残ってしまったとされています。

テティスに去られた後、ペレウスはアキレウスをペリオン山の岩屋に連れて行き、英雄たちの優れた教育者として名高かった**ケイロン**に育ててもらいました。

ケイロンはアキレウスに武勇の修練をさせると同時にライオンの内臓や熊の骨の髄など、力と勇気と俊敏さの滋養となるものを食べさ

せ、彼が強くたくましくなるようにしました。

おかげで彼は、幼児のうちにライオンを格闘で負かし、鹿と競争して勝ち、重い槍《やり》をまるで矢のように軽々と投げて飛ばすことができました。

ケイロンは彼に、武勇の他にも医術や音楽、礼儀作法、神々を敬うことなどもしっかり教えこみました。そのため、アキレウスは無双の勇士であると同時に、他の点でも非の打ちどころのない英雄となり、ゼウスが計画していた大戦争の花形として後の時代の鉄の種族の人間たちにも模範となる活躍をすることとなりました。

94 エリスによって引き起こされた三女神の争い

神々がペリオン山に降臨し、ペレウスとテティスの結婚を祝う宴会を開いていたときに、やがて始まる大戦争のきっかけとなる事件が起きました。

この宴会にはエリスという争いの女神は招かれていませんでした。それはどんな楽しい集まりも、この女神が加わるとたちまちいがみ合いの場所に変わってしまうためでした。

仲間外れにされた**エリス**は憤慨し、神々のあいだに争いを起こして仕返しをすることにしました。そのために彼女は、ヘスペリデスの楽園になっている黄金のリンゴの実を一つ取って来て、それを「いちばん美しい女神への贈り物です」と言って神々のなかに投げました。

たちまち女神たちのあいだに争いが起こり、結局、ゼウスの妃《きさき》**ヘラ**と、彼の愛娘《まなむすめ》**アテナ**、それに**アフロディテ**の三女神が最後まで「自分が最も美しいので、このリンゴを受け取るのに相応《ふさわ》しい」と主張し合って譲りませんでした。

ゼウスはしかたなく、この三女神のうち誰が最も美しい女神かという審判を**パリス**という人間の若者にさせることにしました。

パリスはダーダネルス海峡に面した丘の上にあり、富み栄えていたトロヤという町の王子でした。

ところが彼の母だったトロヤの王妃ヘカベは、妊娠中に自分が燃えさかる松明《たいまつ》を産み、その火でトロヤの町が焼き尽くされる夢を見ました。

妃からこの夢のことを聞かされたトロヤの王プリアモスは、夢占いをする者たちに相談しました。すると、それがヘカベから生まれようとしている子の所為で、町が破滅する前兆だということがわかりました。

そのため、パリスは生まれるとすぐにトロヤ近くのイダ山の山奥に捨てられました。しかし、この赤児は熊の乳を飲んで生きながらえ、それを牛飼いが見つけて救い出しました。

その牛飼いのもとでパリスは勇ましい美男の若者に成長しました。そしてイダ山で、父の家畜だとは知らずにプリアモス王の牛の群れの世話をして暮らしていました。

ゼウスはヘルメスに命じ、パリスの前に三人の女神を連れて行かせました。そしてヘルメスは、神々が目の前に降臨したのを目の当たりにして恐れ震えているパリスに、こう言って黄金のリンゴを渡しました。

「ゼウス様は、ここにおいでの三人の女神のなかで、どなたがいちばんお美しいかを審判する役をお前に命じられたのだ。謹んでご命令をお受けし、お前が最も美しいと思う女神にこのリンゴをさし上げなさい」

95 世界一の美女を選ぶパリスの審判

三人の女神たちは自分を選ばせようとして、それぞれが果たしている職分に相応《ふさわ》しい贈り物を与えることをパリスに約束しました。

オリュンポスの女王ヘラは、パリスを**アジアとヨーロッパ全体の王にしてやる**と言い、アテナは**どんな戦いにも勝てる無敵の武運を授ける**と言って彼の気を引こうとしました。そしてアフロディテは、まっ白な形よく盛り上がった乳房を薄い衣を通して覗《のぞ》かせながらパリスの髪に手を触れ、珊瑚《さんご》のような赤い唇を彼の耳に近づけて艶《なま》めかしい声でこう言いました。

「世界を支配することよりも、すべての戦争に勝つことよりも、男にとって最大の喜びは、無上の快楽を味わわせてくれる美女を妻にして抱くことです。いま、人間たちの世界にこのアフロディテを生き写しにしたような美女がいて、スパルタの王メネラオスのお妃《きさき》になっていることは、お前も知っているでしょう。そのリンゴをこのアフロディテにくれれば、**あの世界一の美女ヘレネをお前の妻にしてあげましょう**。そうすればお前は、まるで美の女神の私を抱いているような悦楽に昼も夜も酔いしれて暮らすことができるでしょう」

アフロディテの言葉を聞いたパリスは、魔法をかけられたように何も考えられなくなり、リンゴをこの女神に渡してしまいました。

アフロディテはヘラとアテナに向かって勝ち誇り、「美しさにかけては、あなたたちも私の敵ではありませんでしたね」と言いました。

この審判によって、パリスは世界一の美女のヘレネを妻にできることになっただけではなく、ゼウスも一目置くほど絶大な神威を持つアフロディテに寵愛《ちょうあい》され、加護を受けられるようになりました。

しかしそれと同時に、彼とその一族のトロヤの王家は、恐ろしい女神の敵を二人も持つことになりました。なぜならヘラとアテナは、

パリスの審判によって偉大な女神としての誇りをひどく傷つけられたからです。

二人の女神は「**こんな侮辱を卑しい人間の若者から受けた恨みを晴らさずにおくことはできない**」と言い合いました。

そしてパリスだけではなく、親や兄弟たちにも必ず惨《みじ》めな破滅を遂げさせ、彼の下した審判がどれほど愚かだったかを後世の人間たちにまではっきりと思い知らせてやると固く誓い合いました。

ピーテル・パウル・ルーベンス『パリスの審判』
ロンドン・ナショナルギャラリー蔵（イギリス）

96 トロヤの王子の地位を取り戻したパリス

パリスの審判のしばらく後に、こんな事件が起きました。

パリスの母へカベは、不吉な夢の所為で捨ててしまった子のことをいつまでも忘れられずにいました。そのため、二十回目のパリスの誕生日が近づくとプリアモス王に頼み、その日に盛大な競技会を開き、死んだと思い込んでいた我が子の霊を慰めてやることにしたのです。

競技の優勝者には牛が賞品として贈られることとなり、それに相応《ふさわ》しい牛を選んで連れてくるようにと、家来がイダ山に派遣されました。

このとき選ばれたのは、パリスがいちばん可愛がっていた牛でした。牛がトロヤに連れて行かれ競技の優勝者に与えられると知ったパリスはトロヤへ行き、牛を取り戻すため競技に参加することにしました。

競技会には武勇の誉《ほま》れ高いプリアモス王の王子たちやアジアの各国からやって来た名高い英雄たちが参加していました。しかし、パリスは大切な牛を取り戻したい一心で懸命に頑張り、競争や槍《やり》投げ、円盤投げなど五種類の競技すべてで優勝してしまいました。するとプリアモスの王子たちのなかでとくに短気な**デイポボス**が「こんな牛飼いの若者の優勝を認めてしまっては、自分たちの面目が丸つぶれになる」と言い、パリスの優勝を認めようと主張した公正な兄のヘクトルと言い争いになりました。埒《らち》があかないと知ったデイポボスは剣を抜き、パリスを殺そうとしました。

そのときパリスを赤ん坊のときに拾って今まで育ててきた牛飼いが仲に入り、拾ったときに彼がくるまれていた産着を見せたため、彼が二十年前に捨て子にされたプリアモスの王子だということが明らかになりました。

死んだと思い込んでいた息子がたくましく美しい若者になって戻って来たことを知り、プリアモスとヘカベは喜びに我を忘れました。そしてこのときから、パリスは二人にとって目のなかに入れても痛くないほど可愛い息子となり、どんな我儘《わがまま》でも許されるようになりました。

そこでパリスはプリアモスに頼み、スパルタへ行くための豪華な飾りのついた贅沢《ぜいたく》な船を作ってもらいました。そしてその船に、ヘレネの歓心を買うための贈り物をどっさり積みこんで出発しました。

97 最終戦争の原因となったヘレネの誘拐

パリスがスパルタに着くと、彼の本当の目的を知らないお人好しの**メネラオス**は、遠路はるばる訪れた賓客として彼を王宮に泊め、丁重に歓待しました。

彼を歓迎するためにメネラオスによって開かれた宴会の席で、パリスは準備してきたヘレネへの贈り物を披露しました。それらはギリシアにはない珍しい品ばかりで、女性なら欲しがらずにはいられないようなものばかりでした。

その贈り物を見た人々は、このような宝がふんだんにあるトロヤの豊かさに感心し、憧れに取り付かれてため息をつくばかりでした。しかし、ヘレネをうっとりさせたのは贈り物ではなく、あらくれたギリシアの男たちにはない気品に溢《あふ》れたパリスの美しさでした。

黄金や宝石や手のこんだ刺しゅうがいっぱいつけられた衣服が、パリスの匂《かど》うような優美さをいっそうまぶしく輝かせ、ヘレネの目には、彼が人間ではなく愛の神エロスのように映っていました。

妻がこの異国の美青年にすっかり心を奪われていることに、鷹揚《おうよう》でお人好しのメネラオスはうかつにも気づきませんでした。そのため、九日間にわたってパリスを歓待すると、その後の接待をヘレネにまかせてクレタ島に出かけてしまったのです。

メネラオスがいなくなると、パリスはすぐにヘレネを誘惑しました。ヘレネはすでに彼のとりこになっていたため、拒みませんでした。彼の優しい愛撫《あいぶ》は、それまで無骨な夫に抱かれて経験していたのとはまったく違う愉悦《ゆえつ》を味わわせてくれ、ヘレネを夢中にさせました。

それで彼女は持てるだけの財宝を持ち、パリスと一緒に彼の船に乗り込みました。順風に恵まれ、二人は三日の航海でトロヤに帰り着きました。

トロヤの人々は、自分たちの寵児《ちようじ》の王子が世界一の美女を妻にするために連れ帰ったことを喜び、大歓迎しました。そしてパリスとヘレネは、祝福に包まれた盛大な結婚式をあげ、正式な夫婦となりました。

二人は幸せでしたが、このパリスによるヘレネの誘拐は、英雄の時代が終わる原因となるトロヤ戦争が起きるきっかけとなりました。

なぜならヘレネが夫を選んだときに、彼女に求婚するためギリシア中から集まって来ていた英雄たちは、「もしこの結婚に害を及ぼす者があれば、必ず全員が協力してヘレネの夫を助ける」と誓いを立てていたからです。

つまりパリスがヘレネを誘拐した瞬間、ギリシア中の英雄たちは「**ヘレネを取り戻すために戦う**」という神聖な義務を負うことになったのです。

トロヤ王家の系譜

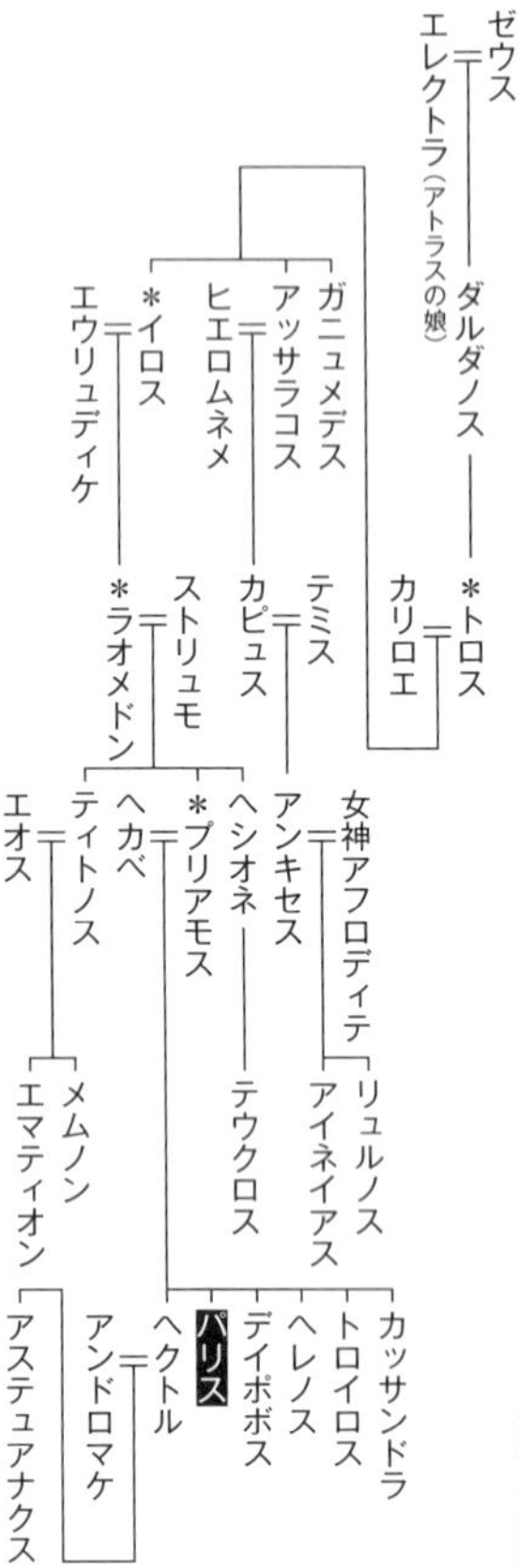
ゼウス
エレクトラ(アトラスの娘)
ダルダノス
ガニュメデス
アッサラコス
ヒエロムネメ
＊イロス
エウリュディケ
＊トロス
カリロエ
テミス
カピュス
ストリュモ
＊ラオメドン
女神アフロディテ
アンキセス
ヘシオネ
＊プリアモス
ヘカベ
ティトノス
エオス
リュルノス
アイネイアス
テウクロス
メムノン
エマティオン
カッサンドラ
トロイロス
ヘレノス
デイポボス
パリス
ヘクトル
アンドロマケ
アステュアナクス

＊印はトロヤ王

スパルタ王家の系譜

ゴルゴポネ
ペリエレス
ゼウス
レダ
＊テュンダレオス
アパレウス
アレネ
＊レウキッポス
ピロディケ
＊メネラオス
ヘレネ
クリュタイムネストラ
＊カストル(ディオスクロイ)
＊ポリュデウケス(ディオスクロイ)
ティマンドラ
ポイベ
ヒラエイラ
＊アガメムノン
マルペッサ
＊イダス
＊リュンケウス
ヘルミオネ
オレステス
エレクトラ
イピゲネイア
＊メレアグロス
クレオパトラ

＊印はスパルタ王

98 遠征軍の集結とアキレウスの参加

留守のあいだに妻を誘拐されたうえ財宝まで持ち去られたことを知ったメネラオスは、まずミュケネに行き、自分の兄であると同時にヘレネの姉クリュタイムネストラの夫になっていた**アガメムノン**に相談しました。

そして彼の助言に従い、ピュロス王で信望の厚かったネストルに後楯《うしろだて》になってもらい、かつてヘレネの求婚者だった英雄たちのもとを訪ね、アガメムノンを総大将にして組織されるトロヤへの遠征軍に加わってくれるよう頼んでまわりました。

英雄たちはみなその遠征に加わることを承知し、それぞれの手勢を船に乗せ、アウリスという港に集まってきました。

しかし、この遠征軍にはまだ、あの大勇士のアキレウスは参加していませんでした。ヘレネがメネラオスと結婚したときにアキレウスはまだ若年だったため、求婚者たちがそのときたてた誓いに加わっていなかったのです。

しかも、彼の母神テティスは「もし、アキレウスがトロヤに行けば不朽の名誉を得るが、戦場で若死にしなければならない」という彼の運命を知っていました。そこで、そうなるのを避けるため、彼に女の服装をさせてスキュロスという島へ連れて行き、リュコメデス王にかくまってもらっていたのです。

リュコメデスはアキレウスを本物の乙女だと信じ込み、自分の娘たちと一緒に住まわせていました。彼は間もなく王女の一人のデイダメイアと相愛の仲になり、彼女にネオプトレモスという息子を産ませました。

しかし、連合軍は「アキレウスが遠征に加わらなければトロヤを陥落させることはできないであろう」というアポロンの神託を受けていました。そのため、全員で手分けをしてアキレウスを探し回っていました。

やがて、アキレウスがスキュロス島に隠れているらしいということがわかりました。それを知った**オデュッセウス**は、「私がアキレウスを連れて来る」と言い、ネストルと一緒にスキュロス島へ行きました。オデュッセウスは商人になりすまして宮殿を訪れ、装飾具と一緒に武具を並べてみせました。

王女たちはきらびやかな装飾具を手に取りましたが、一人だけ武器を手にした者がいました。それはアキレウスでした。女の恰好《かっこう》をしていても、勇猛な性格までは隠すことができなかったのです。

その瞬間、オデュッセウスは外にいる家来たちに合図してらっぱを吹き鳴らさせました。すると、アキレウスは女装をかなぐり捨てて武具を身に着けました。彼はオデュッセウスとネストルの勧めを聞き、トロヤ戦争に力を貸すことを承知しました。

アキレウスはデイダメイアとリュコメデスが引き止めるのも聞かず、「ネオプトレモスを立派な勇士に育ててほしい」と言い残してプティアへ帰り、ミュルミドンと呼ばれる一騎当千の軍勢を五十隻の船に乗せてアウリスに向かいました。

ちなみに、この軍勢には**パトロクロス**というアキレウスの無二の親友が部将として参加していました。

ドミニク・アングル『アガメムノンの使いを迎えるアキレウス』
パリ国立高等美術学校蔵（フランス）

99 開戦のため犠牲にされたイピゲネイア

アキレウスが加わり、いよいよトロヤに向けて出航しようとしたところで困ったことが起きました。航海に必要な風が突然止み、その状態が何日も続いたのです。

そこでアガメムノンが、ギリシア軍に加わっていたカルカスという高名な予言者に理由を占わせてみました。すると、とんでもないことがわかりました。

アウリスで軍勢が集まるのを待っているあいだ、アガメムノンはアルテミス女神の神域の森で狩りをし、女神の聖獣だったみごとな牝鹿を射止めてしまったのです。しかもそのときに「狩りの腕前ではアルテミスにも負けない」と自慢もしていました。

この二重の罪に激怒したアルテミスが風を止めているというのです。

「罪を贖《あがな》うためにはアガメムノンの長女**イピゲネイア**を犠牲に捧げなければならない」

とアルテミスは言っており、これが果たされないうちは、風は絶対に吹かないということでした。

アガメムノンは総大将としての責任を果たすため、心を鬼にして愛娘《まなむすめ》を捧げる決意をしました。そして、アキレウスと結婚させるためだと言って妃《きさき》のクリュタイムネストラを騙《だま》し、イピゲネイアをアウリスに連れてこさせました。

アキレウスの花嫁になれると信じ、喜んで仕度を整えてやって来たイピゲネイアは、事の真相を知らされると泣きながら父の膝にすがり、命乞いをしました。

しかし、アガメムノンはそのイピゲネイアを縛らせ、泣き叫ぶ口を猿ぐつわでふさがせ、目隠しをさせて祭壇の上に運ばせました。

ところが、短剣を娘ののどもとに振り下ろした瞬間、アルテミスが乙女を憐《あわ》れんで祭壇からさらい、代わりに縛られた牝鹿《めじか》をその場所に置いたのです。そのため、アガメムノンの剣は娘ではなくその鹿を殺すことになりました。

しかし、彼女の代わりに鹿を祭壇の上に置

いた女神の所行に気づいた者は、娘を殺そうとしていたアガメムノンも含め、誰一人としていませんでした。

そのため、そこにいたギリシア人たちは全員、アガメムノンが本当に娘を生け贄《いにえ》に捧げたと信じていました。そして、この総大将の悲愴《ひそう》な行為に全軍が感動し、この犠牲を無駄にしないためにも、遠征を必ず成功させなければならないという決意を固めました。

約束通り、待ちに待った航海に必要な風が吹き出したため、ギリシア軍は千隻を超す大船団をトロヤに向け出航させました。

こうして十年続くことになる**トロヤ戦争**の火蓋が、ついに切って落とされたのです。

トロヤ戦争の両陣営

ギリシア陣営	アガメムノン	ギリシア軍の総大将。ミュケネの王でメネラオスの兄。
	メネラオス	スパルタの王。パリスに妻を奪われトロヤ遠征を兄アガメムノンに要請。
	アキレウス	ギリシア軍最強の戦士。かかとの一部が唯一の弱点。
	パトロクロス	アキレウスの親友。ヘクトルに討たれる。
	ネオプトレモス	アキレウスの子。トロヤ王を討つ。
	オデュッセウス	ギリシア軍随一の知将。トロヤ戦争が終わった後、故国イタカに戻るまでのさまざまな冒険や奇談を綴ったホメロスの長編叙事詩『オデュッセイア』の主人公。
	ディオメデス	オデュッセウスの親友。アテナに助けられて、アフロディテと軍神アレスに傷を負わせる。
	カルカス	ギリシア軍を導く予言者。
	小アイアス	俊足で敏捷、粗暴な勇者。
	大アイアス	逞しい巨体の持ち主で、アキレウスに並ぶ勇者。
	ピロクテテス	弓矢の名手。パリスを矢で討つ。
	イドメネウス	クレタの王。ギリシア方の最有力な将の一人として活躍。
	ネストル	最長老でギリシア軍首脳陣のひとり。
トロヤ陣営	プリアモス	長年トロヤを治める老齢の王。
	ヘクトル	トロヤの王太子。トロヤ軍の総司令官。
	パリス	アフロディテの力を借りて、スパルタ王妃ヘレネを連れ去り、戦争の引き金となる。
	アイネイアス	ヘクトルに次ぐ勇敢さを持つ。トロヤが陥落した後、アフロディテの助けで逃れ、ローマを建国する。
	デイポボス	パリスの死後、ヘレネの夫となる王子。
	ヘレノス	未来を予言する力を持った王子。

100 十年目に起きた戦局の劇的変化

トロヤ戦争が十年間も続いたのは、トロヤの町が、ポセイドンとアポロンがプリアモスの父ラオメドン王のために築いてやった難攻不落の城壁に守られていたためでした。

アキレウスの人間業とは思えない凄《すさ》まじい猛勇に震えあがったトロヤ軍は、じきに城壁の外で戦うのを止めてしまいました。

さすがのギリシア軍でも、神が作った城壁を破って町を攻め落とすことは不可能でした。そのためギリシア軍は、トロヤを包囲しながら付近の町を次々に攻略し、財宝や女たちを分捕り、それを大将たちが分け合って憂さばらしをしました。

しかし十年目に、膠着《こうちゃく》していた戦局に劇的な変化を起こす事件が発生しました。アガメムノンの専横な振る舞いに激怒したアキレウスが、戦いに加わるのを止めてしまったのです。

それを知ったトロヤ軍は、城壁の外へ出てギリシア軍をさんざ負かし、浜辺に引き上げてあった彼らの船まで燃やそうとしました。

　そこで、ギリシア軍の危機をみかねたアキレウスの親友**パトロクロス**がアキレウスの武具を身に着け、ミュルミドン（アキレウスが連れてきた軍勢）を率いて参戦しました。

　アキレウスが戦いに出て来たと思い込んだトロヤ軍は慌てふためいて撤退し、パトロクロスがそれを追いました。しかし、城壁まで行ったときに、アポロンに助けられたヘクトルによって討ち取られてしまいました。

　パトロクロスが戦死したことを知ったアキレウスはアガメムノンとの争いを止め、親友の仇《かたき》を討つために再び参戦し、トロヤ軍を手当たり次第に殺したうえにヘクトルを討ち果たしました。

　しかし、孤軍奮闘していたトロヤにも、やがて世界の辺境や果てから強力な援軍がやっ

てきました。

まず最初にやってきたのは、**ペンテシレイア**という女王に率いられたアマゾンという女戦士たちでした。女といっても彼女たちは、普通の男では太刀打ちできない一騎当千の勇士たちでした。

ペンテシレイアはギリシアの英雄たちを震えあがらせる壮烈な武勇を発揮した末、アキレウスに討ち取られてしまいました。ちなみに、このとき死体から兜《かぶと》を脱がせ女王の気高い顔を見たアキレウスは、自分が殺した敵に恋をして涙を流したと言われています。

次にやって来たのは、世界の東の果てにあるエチオピアの黒い皮膚をした兵士たちでした。この大軍を引き連れて来たのはメムノンという王で、彼は曙《あけぼの》の女神エオスの息子で、父はプリアモスの長兄ティトノスでした。

このメムノンもアキレウスとの一騎打ちで戦死しましたが、その途端に死体は見えなくなりました。ゼウスに許され、死の神タナトスと眠りの神ヒュプノスが遺体を運び去ったのでした。

神々の各陣営への加担

ギリシア陣営側	アテナ	最も美しい女神に選ばれなかったことから、ギリシア軍の勇士たちに加担。とりわけ勇者ディオメデスに助力し数々の手柄を立てさせ、オデュッセウスを最後まで加護。
	ヘラ	最も美しい女神に選ばれなかったことで、ギリシア軍に加担。ゼウスがヘクトルを保護することにも腹を立て、怒りの矛先をトロヤ壊滅に向けた。
	ポセイドン	トロヤ王のために城壁を造った際、王がポセイドンへ納める報酬を渋ったことで、トロヤ王家を恨みギリシア方に加担。
	ヘパイストス	妻のアフロディテとその愛人のアレスがトロヤ方についたため、ギリシア軍に加勢。
トロヤ陣営側	アフロディテ	最も美しい女神に自分を選んだパリスと愛息子のアイネイアスのために、最後までトロヤに加担。
	アレス	アフロディテに引き込まれるかたちでトロヤ軍に加勢。アテナの加護を受けたディオメデスに傷を負わされる。
	アポロン	トロヤの最も強力な味方。アガメムノンがアポロンを祭る神殿の祭司だった王の娘クリュセイスを奴隷にしたことに腹を立てギリシア陣営に疫病の矢を放つ。パリスにアキレウスを射殺させる。
両軍に加担	ゼウス	各軍に加担する神々の暴走を戒めるいっぽうで、状況に応じて各軍に肩入れをしたが、最後にはトロヤを滅ぼす。

101

トロヤの壊滅と英雄たちの時代の終わり

メムノンが討たれると、トロヤ軍は総崩れになりました。町に逃げ帰ろうとするトロヤ軍を追ったアキレウスは、あと一歩で城門というところまで来ました。

トロヤは絶体絶命と思われましたが、アポロンからアキレウスの弱点が踵《かかと》であることを知らされたパリスが、そこを狙って矢を射て、アポロンの助けで命中させ、この大勇士を落命させることに成功しました。

しかし、そのパリスもそれからしばらく後の戦闘で矢に射られて死に、ヘレネは生き残ったプリアモスの王子の一人デイポボスの妻になりました。

最終的にトロヤを落城させたのは、オデュッセウスが考案した「**木馬**」の作戦でした。ギリシア軍に加わっていたエペイオスという工作の名人に、胴が空洞になった巨大な木馬を作らせ、主な大将たちがなかに身を潜めたのです。そして、残りの軍勢は夜のあいだに陣営を焼き、木馬だけを残して船に乗り、沖に出てテネドスという島の陰に隠れました。

朝になってギリシア軍がいなくなっているのを見たトロヤ軍は、敵が勝利を諦めて帰国したのだと信じ、木馬を戦利品として町に引き入れて王宮前の広場に据えました。そして、神々に感謝の犠牲を捧げてから町中で祝宴を開き、泥酔して見張りも置かずに眠りこんでしまいました。

そのときを待っていたギリシアの英雄たちは木馬から出て、城門を開いて味方の軍勢を引き入れました。そして、抵抗もほとんどできずにいるトロヤの男たちを片っ端から殺しました。トロヤの女たちは捕虜にされ、財宝は奪われて町は焼き払われました。

それから彼らは、女たちと財宝を分け合って帰国の途に着きましたが、大部分の者はトロヤ落城の際に行った狼藉《ろうぜき》が神々を怒らせたため罰を受け、順調には故国へ帰れませんでした。

たとえば、アガメムノンはミュケネに帰り

着くと、妃《きさき》のクリュタイムネトラとその愛人になっていたアイギストスに騙《だま》し打ちにされ惨殺《ざんさつ》されました。

ヘレネを取り戻して帰国しようとしたメネラオスも嵐にあい、大部分の船を失ってエジプトに流されてしまいました。ただし彼の場合は、エジプトで五年間過ごした後でスパルタに帰り着くことができ、その後はヘレネと平穏な暮らしができたとされています。

誰よりも不思議な目にあったのはオデュッセウスで、彼がトロヤを出てからイタカに帰り着き、王位と貞操を守って彼を待っていた妃のペネロペイアを取り戻すまでにした十年間にも及ぶ冒険の模様は、ホメロスの詩『**オデュッセイア**』に詳しく語られています。

とにもかくにも、トロヤ戦争とその余波で起きた事件により英雄の種族は消滅しました。これで神話の時代が終わり、その後に現在の人間たちの時代が始まりました。

画像提供

株式会社アフロ

株式会社アマナイメージズ

---

p.20, p.29：interfoto ／アフロ

p.23、p.42、p.45、p.71、p.74、p.77、p.83、p.95、p.105、
p.114、p.128、p.210、p.226、p.298、p.307
：The Bridgeman Art Library ／アフロ

p.48：© Photo RMN ／ amanaimages

p.80、p.92：提供：Alinari ／アフロ

p.98、p.232：Artothek ／アフロ

p.140、p.254：PHOTOAISA ／アフロ

p.166：提供：Universal Images Group ／アフロ

p.192、p.196：PHOTOAISA ／アフロ

p.216：写真：Alamy ／アフロ

p.222：提供：Alinari ／アフロ

p.229：提供：AGE FOTOSTOCK ／アフロ

p.235、p.289：ALBUM ／アフロ

p.257：Lexicon Iconographicum Mythologiae Classicae VII 2, 1994

吉田敦彦（よしだ・あつひこ）
1934年東京生まれ。神話学者。東京大学大学院西洋古典学専攻修士課程修了後、フランス政府給費留学生として渡仏、フランス国立科学研究所員。成蹊大学、学習院大学教授を経て、学習院大学名誉教授。専門は、比較神話学、西洋古典学。
著書には『ギリシァ文化の深層』（国文社、サントリー学芸賞受賞）、『天地創造神話の謎』（大和書房）、『ギリシア・ローマの神話』（筑摩書房）、『オイディプスの謎』（青土社）など多数。

本書は当文庫のための書き下ろしです。

だいわ文庫

一冊《いっさつ》でまるごとわかる
ギリシア神話《しんわ》

著者 吉田《よしだ》敦彦《あつひこ》

二〇一三年八月一五日第一刷発行
二〇二〇年一一月二〇日第一五刷発行
発行者 佐藤靖
発行所 大和《だいわ》書房
東京都文京区関口一―三三―四 〒一一二―〇〇一四
電話 〇三―三二〇三―四五一一
装幀者 鈴木成一デザイン室
本文デザイン 菊地達也事務所
本文イラスト 高田真弓
編集協力 幸運社、岡崎博之
本文印刷 シナノ
カバー印刷 山一印刷 製本 ナショナル製本
ISBN978-4-479-30445-6
乱丁本・落丁本はお取り替えいたします。